LEALTAD Y SANGRE

CRÍMENES EN TIERRAS VIOLENTAS Nº 3

RAÚL GARBANTES

Producción editorial: Autopublicamos.com
www.autopublicamos.com

Diseño de la portada: Giovanni Banfi
giovanni@autopublicamos.com

ISBN: 978-1-922475-16-9

Página web del autor:
www.raulgarbantes.com

amazon.com/author/raulgarbantes
goodreads.com/raulgarbantes
instagram.com/raulgarbantes
facebook.com/autorraulgarbantes

Obtén una copia digital GRATIS de *Miedo en los ojos* y mantente informado sobre futuras publicaciones de Raúl Garbantes. Suscríbete en este enlace: https://raulgarbantes.com/miedogratis

ÍNDICE

PRÓLOGO

Lo único que Linda Amatista escuchaba, después del ruido del agua fría estrellándose contra su cuerpo y el suelo, era el sonido del viento corriendo entre los árboles. Por un instante, eso era todo lo que existía, como un hechizo. Se aferró lo más que pudo a ese sonido que era un oasis en el infierno que estaba viviendo, por un tiempo que empezaba a parecerle inconmensurable. Solamente entendía que ahora la única realidad era el dolor.

A medida que volvía en sí, cada parte de su cuerpo daba fe de vida a través del suplicio que le hacía padecer. Ya el mundo de afuera se había vuelto borroso, sonidos, formas y colores vagos; pero su mundo interno era un enjambre de señales de dolor vertiginoso que hacía parecer su cuerpo más extenso de lo que en realidad era. Más que un cuerpo humano, un continente de sufrimiento.

—Ya es hora —escuchó decir.

Sintió el resplandor de una luz a través de los párpados hinchados. Trató de taparse la cara un poco con uno de sus brazos. Ambos se alzaban sobre su cabeza inclinada, pendiendo de las muñecas esposadas, estas, a su vez, entrelazadas con una cadena que se elevaba hasta un listón de madera en el techo. Las rodillas tocaban el suelo, pero ya casi no sostenían todo el peso de su cuerpo, los tobillos atados también. Trató de abrir los ojos. Era como si su rostro hubiera mutado a una máscara tallada por los golpes. Ahora podía escuchar hasta el zumbido de la única bombilla de aquel pequeño lugar, una que colgaba desnuda de un cable; también escuchó el rechinar de la madera con los pasos del torturador. Apenas podía ver su vaga silueta del otro lado del cobertizo, tomando algo entre las manos, quizá una soga.

—Todo va a terminar pronto —dijo el hombre.

«¿Pronto?», pensó ella, desconcertada; como si no la hubiera abusado ya lo suficiente, como si de esa forma no la hubiera despojado ya de cada parte de su persona: treinta y tres años, Linda Amatista, oficial de Policía condecorada del distrito de Olivares. El orgullo de su madre y de sus amigas.

El hombre se acercó y liberó las esposas de la cadena. Ella dejó caer todo su cuerpo al suelo, sintiendo la madera rugosa y el frío de la noche que erizaba su piel, el viento ahora golpeaba con más fuerza que antes, produciendo un silbido cuando chocaba con el cobertizo. Por fin podía respirar hondo, por fin sus músculos se distendían, y aquel alivio mitigó un poco el calvario que atravesaba.

Vio la silueta del hombre acercarse, sus contornos difusos por la luz de la bombilla, pero, sobre todo, por la mezcla de sangre y sudor que se acumulaban entre los párpados de ella. Sintió una sombra cubrirla por completo y luego un ardor cuando él retiró la cinta adhesiva de su boca, removiendo luego el pañuelo del interior de esta. El frío, el miedo y el dolor le sacaban sonidos involuntarios que no lograba reprimir por más esfuerzo que pusiera. Lo escuchó reír para sí y sintió ira, quiso hacer sufrir a cada hombre que conoció alguna vez, quiso hacerlos suplicar por la muerte que ella ahora deseaba para sí. Sintió toda la saliva y sangre acumuladas en su boca y trató de decir algo. Su garganta estaba tan seca que apenas dejaba salir aire.

—¿Qué? —preguntó el hombre, acercando el rostro. Enseguida se cubrió de una sustancia rojiza y viscosa al recibir un escupitajo de su víctima.

En el silencio que siguió, ella supo percibir la rabia acumulándose en su abusador. Esta era la única victoria que podía permitirse, así que sonrió como pudo, esperando que el regocijo la acompañe hasta el último momento.

—Eres una guerrera —escuchó decir al hombre—. Para nada como las otras.

«Quizá las otras rogaron y suplicaron», pensó Linda. Mientras, ella se obligó con todo su ser a no darle esa satisfacción, la de verla quebrarse mentalmente. Entonces recordó las palabras de su mejor amiga, Aneth Castillo, cuando estaban en la academia de Policía. Cuánto le hubiera gustado verla una última vez. Quiso permanecer un poco más en aquel recuerdo, pero su captor había comenzado a golpearla de nuevo.

Tomó algo de tiempo para que el hombre se percatara del propio frenesí en el que había caído. Se sorprendió a sí mismo con el rostro desencajado por una mueca que mezclaba rabia y placer.

Estaba jadeando cuando se detuvo y la vio ante sí, casi inconsciente otra vez. Bajó los brazos y subió el rostro, cerrando los ojos, como si alguna sustancia invisible lo estuviera bañando. Su respiración se volvió a calmar. Trató de penetrar lo más profundo que podía en aquella calma, instalarse allí, en la satisfacción y el alivio que no era capaz de experimentar de otra forma y que solo era superado por lo que pensaba hacer después.

Volvió a esposar a la mujer con los brazos atrás. La vio moverse cuando ajustó el nudo de la soga en su cuello. Tomó un extremo y lo aventó por encima del listón. Dio unas vueltas a la soga por su antebrazo para lograr un mejor agarre, tomándola luego con ambas manos. Después de una respiración profunda, comenzó a tirar de la soga.

Lo hacía de forma lenta para observar a su víctima contorsionarse mientras agonizaba. Y, con cada tirón de la soga, se sumergía de a pocos en un éxtasis único. Para cuando la mujer ya había dejado de moverse, ahorcada, estaba consumido por una euforia total que se concentraba en su entrepierna. Mantuvo la escena congelada un momento. Cuando sintió que ya la había absorbido lo suficiente, soltó la soga. El sonido grave del cuerpo golpeando contra la madera le disgustó. Quizá le pareció que rompía con la solemnidad que estaba experimentando. No se dejó consumir por el hecho, pues el mal humor lo sacaría por completo de la atmósfera que había creado para sí.

Entonces volteó el cuerpo para que mirara hacia el techo y se comenzó a desvestir.

1

UN CASO PELIGROSO

Para los que aún no me conocen soy Goya. La primera vez que fumé un cigarrillo ya estaba separado de mi mujer y mi hija me odiaba. Recuerdo que salía de un bar en la madrugada, con el aliento a licor. Estaba en camino a convertirme en un alcohólico; mejor dicho, en un adicto. El cerebro de un adicto es muy particular, saben. Es una persona compulsiva. Si logra superar una adicción, siempre existe el riesgo de que alguna otra cosa pase a llenar ese vacío.

Trato de no pensar mucho en esto. Pero la realidad no siempre colabora con los propósitos de nuestra voluntad. Por el contrario, pareciera colocarle obstáculos.

Esta ha sido una mañana inusual en más de un sentido. El más evidente: el sol radiante brillando en medio de un cielo despejado. Cosa que detesto. No por aborrecer de lo que el común de la gente disfruta, sino por el calor que produce un sol radiante por la mañana en Sancaré.

En la comisaría todo parece brillar exageradamente, iluminado casi sin dejar sombra alguna. Siento la película de sudor con la que me cubre el calor y la humedad de la ciudad, casi como una segunda piel. Siento las gotas cayendo por mi nuca, mi camisa adhiriéndose a mi cuerpo incómodo y ansioso. Sobre mi escritorio hay pilas de papeles esperando por mí. Cierro los ojos y escucho el bullicio de la comisaría, manotazos sobre mesas, golpes metálicos, voces, órdenes, carcajadas, correteos por los pasillos. Cada elemento, hasta el más insignificante, exaspera mi paciencia.

Este es el día en que se supone debemos traer a alguien de la familia para compartir un rato y que vean lo que hacemos. Una idea ridícula donde las haya. Pero más ridículo es que yo haya imaginado siquiera que mi hija Laura contestaría mis llamadas para invitarla.

—Goya —escucho decir a Valeria desde un escritorio cercano.

Tras ella está su madre, Aneth Castillo, mi compañera que sonríe e intercambia palabras con Hilario Cota, otro miembro del equipo de Homicidios. Quizá se burlan de mí porque saben cuánto detesto este lugar ahora mismo. Sin embargo, le sonrío a la niña. Me recuerda a Laura cuando tenía su edad. La alegría que veo en mi compañera también me recuerda a mis propios ánimos cuando comencé a trabajar con la Policía. Esta idea me refresca un poco el pésimo humor que tengo y, mientras, trato de no pensar en ciertas cosas.

Escucho la puerta del comandante Sotomayor abrirse con la premura usual, que poco tiene que ver con la urgencia de lo que va a comunicar. Lo miro. Me hace un gesto con la mano. Por la cara que tiene, no debe de ser nada grave.

Entro a la oficina y veo al comandante de pie, alargándome el teléfono, como quien se lava las manos de una tarea fastidiosa.

—¿Inspector Goya? —escucho preguntar del otro lado del receptor, es la agradable voz de una mujer quizá entrando en la cuarentena.

—Él habla.

—Es un gusto hablar con usted —dice—. Soy la fiscal Vera Simmons, del distrito de Villablanca.

—¿En qué la puedo ayudar fiscal?

—Verá, estoy manejando un caso delicado y he dado con uno de los sospechosos principales, al cual pienso interrogar en las próximas horas.

Creo saber a dónde se dirige la conversación. Y no me disgusta el pronóstico.

—Su don de gentes —continúa—, si me permite la expresión, es famoso entre algunos de nosotros, y su ayuda me parecería invaluable.

—¿Quiere que interrogue a su sospechoso?

—No —dice con cierta risa—. Eso lo haría yo. Pero me encantaría su asesoría, saber sus impresiones sobre el sujeto durante el interrogatorio. Solo quiero saber si debería seguir cavando este hoyo.

Le digo que con mucho gusto podría ayudarla con eso. Nada más oportuna que una excusa para dejar la comisaría en este momento.

—Goya —dijo el comandante Sotomayor, reteniéndome, cuando ya cruzaba la puerta—. Recuerda que hoy es la cena del alcalde con las nuevas autoridades. Te espero allí.

Un embotellamiento inesperado me mantiene en el centro de la ciudad, entre humo, bocinas de autobuses y vendedores ambulantes. Ha empezado a correr el viento, arrastrando nubes con lentitud, volviendo benévolo el calor. La luz de esta mañana da a los colores y a las texturas de los edificios una nitidez particular. Un hombre mayor de piel tostada pasa por la ventana de mi auto vendiendo diarios. Le pregunto si sabe qué ocasiona el tráfico.

—Es una manifestación de obreros —me dice con una voz ronca—. Pero ya se están retirando.

Le compro una copia y le agradezco. Reviso por encima los titulares. «Nuevas autoridades distritales hacen toma de posesión en clima de desconfianza». «Empresario de construcción defiende derechos de los obreros». «Sindicato de obreros llama a huelga…». El ajetreo de siempre. Por fin los autos comienzan a avanzar. Veo un grupo de hombres con cascos de protección dispersarse.

Al rato ya he dejado el caos del Centro y las vías se tornan más acomodadas, los edificios más modernos, cobran más presencia las áreas verdes con caminerías y personas haciendo ejercicios o paseando a sus mascotas: todo ocurre como si se tratara de otro mundo, uno desentendido de las noticias en la prensa y de las intenciones mezquinas de quienes abusan del poder. Así, como en una ciudad paralela, entro al distrito de Villablanca.

Sigo la dirección que me proporcionó la fiscal Simmons. No demoro en llegar y, después de anunciarme en la recepción, la chica que me atiende me informa que la misma fiscal bajará a recibirme.

No pasa mucho hasta que veo salir de un ascensor a una mujer muy atractiva y elegante. Viste un pantalón de punto grueso y corte ceñido de color gris con rayas delgadas y claras, una chaqueta que hace juego con el pantalón y una blusa de tonalidad crema. Lleva tacones bajos, pero de punta fina. Tiene el pelo suelto, largo, oscuro y abundante. Ya cerca, la veo sonreír levemente, una sonrisa muy expresiva sin ser exagerada. Diría que está entusiasmada de verme, aunque no nos conocemos. Después de haber destruido mi matrimonio con Silvia, al punto de no dirigirme la palabra hasta el sol de hoy, nunca me vi realmente cautivado por otra mujer. Pero la fiscal Simmons ha logrado causar una impresión en mí, aunque me cueste reconocerlo.

—Inspector Goya, qué gusto —me dice, su voz es todavía más agradable de escuchar en persona. Le extiendo la mano sin saber en verdad qué decir o hacer, excepto un sonido vago.

—Debo decir que esperaba con anticipación nuestro encuentro —afirma mientras caminamos al ascensor.

—Déjame adivinar —replico algo incómodo—, algún profesor trasnochado te hizo estudiar uno de mis casos viejos.

—Espero que excuse mi cursilería. Pero es famoso, entre los de mi generación al menos. Seguí su carrera hasta que, bueno...

—Hasta que lo mandé todo al demonio —la interrumpo.

—Exacto.

A medida que subimos, el paisaje de Villablanca cobra perspectiva a través de los cristales, sus cuadrículas perfectamente planeadas, sus espacios públicos, otros en construcción. Salimos a un piso limpio y aclimatado, de techo alto, con varios pasillos, varias oficinas y salas.

—¿Y qué me puede decir de lo que voy a ver? —pregunto.

—El hombre al que voy a interrogar se llama Demetrio Bonilla y es la cabeza de la Oficina de Obras Públicas del distrito de Villablanca. He venido investigando la concesión de contratos de construcción a cambio de millonarias «comisiones» a autoridades como este Bonilla en Sancaré. Según me parece, este hombre es un nodo importante en la red, pero solo tengo deducciones a partir de otros hechos. Hemos allanado su oficina, pero me parece que ha eliminado toda evidencia.

—¿Qué empresa está implicada?

—Constructora Pacífico.

Entramos al cuarto de observación. La fiscal se recoge el

pelo y se acomoda la chaqueta. Luego la veo entrar a la sala de interrogatorios.

Bonilla parece bastante joven para el puesto que desempeña. Se esfuerza por parecer tranquilo. Durante el interrogatorio, a veces mueve una pierna con rapidez o los dedos de la mano, comportamientos que de pronto detiene, como si hubiera olvidado mantener las apariencias. Sin embargo, es poco o nada lo que responde a la fiscal.

Al rato de iniciada la tarea de la funcionaria, recibo una llamada de Castillo.

—Goya, debes venir. Te envío la dirección —son las únicas palabras que dice, llenas de urgencia y a la vez de resignación, tono que, en cuatro años trabajando juntos, nunca le he escuchado. De repente, siento una sensación de encierro.

Le escribo un mensaje a la fiscal, excusándome. Esta sale casi de inmediato para acompañarme hasta la salida. Parece algo decepcionada con los resultados obtenidos hasta ahora. Le aconsejo que busque algo con lo cual pueda amenazarlo, algo que le dé una ventaja. Agrego que no se desanime. Bonilla de seguro oculta algo.

Ya afuera, Simmons saca una caja de cigarrillos y me ofrece uno. La irritación y la ansiedad que he sentido durante toda la mañana, y que se ha disparado con la llamada de Aneth, de pronto cobra sentido cuando veo el cigarrillo, aquello que buscaba evitar hasta con el pensamiento.

—Lo estoy dejando —menciono.

—¿Cuánto tiempo? —pregunta la fiscal.

—Primer día.

2

LINDA AMATISTA, POLICÍA DE OLIVARES

PARA EL MOMENTO en que llego a la escena, no queda rastro de aquel sol radiante tempranero ni del calor asfixiante. El cielo está completamente nublado y una brisa fuerte corre por los parajes desérticos de La Favorita, uno de los distritos más peligrosos de esta ciudad monstruosa llamada Sancaré.

Nubes de tierra y arena recorren la explanada donde ya trabaja el equipo de Homicidios, rodeado de algunas patrullas que mantienen a raya a los curiosos. Doy un vistazo al lugar. Viviendas precarias a la orilla de las calles cubiertas por tierra. Tierras baldías. Hasta la vegetación parece olvidarse de este lugar. Un poco a lo lejos, colinas cubiertas de más viviendas, amontonadas, que desde aquí son similares a cajas de cerillos lanzadas sobre un montón de polvo. En sentido opuesto, a lo lejos, la parte bonita de la ciudad se insinúa.

Muestro mi placa a los oficiales que vigilan el acceso. «Jefe Goya», escucho a otro, saludándome. Antes de cruzar la cinta amarilla, veo la figura de Hilario Cota acercándoseme. Apartada, al fondo de toda la escena, está mi compañera, Aneth, hablando por su celular. Ni un atisbo de la alegría que la adornaba temprano en la mañana.

—Mujer de treinta y tres años —comienza a reportar Cota—. Claras señales de tortura y posible abuso sexual.

Cruzo la cinta amarilla y, sobre la tierra, el cuerpo desnudo de una mujer trigueña yace tendido bocarriba. La brisa mueve su cabello largo y rizado, cubriendo su rostro. En sus brazos hay marcas de golpes, laceraciones y quemaduras de cigarro. Sus muñecas están muy lastimadas. Cual fuera el objeto que las sujetaba, ya estaba calando profundo en la carne. Los tobillos tienen marcas similares. Sobre el pecho está colocado un portadocumentos con una placa policial y una identificación.

El cuerpo había sido encontrado por niños que jugaban fútbol en la explanada. Imagínense esa imagen acompañándolos desde tan temprano en la vida.

—Si te fijas —continúa Hilario—, tiene muchas heridas y huellas de golpes, pero tienen diferentes tonalidades. Algunos cortes ya muestran señales de cicatrizar.

—Fue torturada por varios días —concluyo.

La cabeza de la víctima parece algo desencajada y su cuello tiene las marcas propias del ahorcamiento.

—Esa es la probable causa de muerte —indica Cota al advertir que mi vista se ha fijado en el cuello del cadáver.

La brisa y la tierra harían difícil el rastreo de cualquier pista en el cuerpo de la víctima. Con todo, su piel no parece tener rastros de mugre acumulada, es decir, que quizá el monstruo que hizo esto se tomó el tiempo de limpiarla minuciosamente. ¿Astucia? ¿Vergüenza? ¿Una fijación?

—Hay otra cosa —me dice Hilario con cierta gravedad—. Era una amiga cercana de Castillo. Linda Amatista, oficial de Policía del distrito de Olivares.

~

Aneth sigue al teléfono. Viste una chaqueta de cuero sobre una camisa negra, *jeans* negros y botas. Su mano libre gesticula. Su ceño, fruncido. Quien la viera así de seguro no desearía nunca estar del otro lado de la llamada. Su figura alargada y atlética se mueve con pasos firmes. El cielo nublado, con la ciudad en el horizonte como telón de fondo, da una gravedad tal a la escena que observo que por un momento me siento como un invasor, un intruso en una tierra extraña de la cual no sé nada y que no quiere saber nada de mí.

—¡Sé que la cita es más tarde! —afirmaba Castillo con aplomo.

Calló un momento para escuchar con indignación quién sabe qué réplica.

—¡Porque alguien ha asesinado a Linda! —grita Aneth y corta la conversación.

De espaldas a mí, sabía que estaba al tanto de mi presencia. Le permito un momento. Ella toma un respiro y voltea.

—¿Vicente? —pregunto. Su expareja, el padre de Valeria.

—Sí —responde con desaliento—. Ahora resulta que una psicóloga del instituto familiar va a realizar visitas para evaluar el estado de ánimo de Valeria... Porque soy una inspectora de homicidios y mi línea de trabajo puede afectarla, bla, bla, bla...

No puedo evitar pensar en mi matrimonio fallido y en la pésima relación que tengo con mi hija.

—Lamento escucharlo —digo y callo un momento—. Lamento que le haya ocurrido esto a tu amiga.

Castillo suspira como si no se diera cuenta de lo que hace. Y asiente. Yo guardo silencio un momento.

—Hablé con ella hace poco —dice luego—. No puedo

creer que haya ocurrido esto. Ella estaba tratando de convencerme para tomarnos unos días libres juntas. «Como en los viejos tiempos».

—¿Eran amigas de infancia?

—Nos conocimos en la academia. Éramos un pequeño grupo de aspirantes mujeres.

Sus ojos alargados se aguzan y aprieta los labios. Castillo es sin duda una mujer atractiva, si bien hay algo de nostálgico en su belleza. Su gesto me conmueve. Siento rabia hacia el mundo, sobre todo, rabia hacia el despropósito de nuestra propia especie.

Aneth observa con gravedad la ciudad de un lado y, luego, los cerros poblados del otro.

—¿Cómo terminó aquí? —se pregunta.

—Lo vamos a averiguar —le aseguro—. ¿De qué más hablaron esa última vez?

—Sí, mencionó un nombre. Yuli Obregoso, aquella patrullera que hace unas semanas fue asesinada por unos sicarios.

—¿Qué hay con ella? —le pregunto—.

—Nunca me dijo. No sonaba muy preocupada... No lo sé, yo estaba tan ocupada con el asunto de la custodia de Valeria...

Sabía que el remordimiento la hacía callar. He estado en su lugar. Yo también perdí a un compañero policía.

—No es tu culpa —le digo—. Este tipo de cosas no deberían ocurrir... ¿Qué hay de enemistades? ¿Parejas? ¿Acosadores?

—Salió por mucho tiempo con alguien que trabajaba en construcción —me dice Castillo—. Uno de los sujetos más tontos e inofensivos que he conocido.

—Deberíamos hacerle una visita mañana. Si no es nuestro tipo, quizá nos ponga en camino hacia él.

—¿Y qué tal si no es uno solo? —me replica con escepticismo—. ¿Qué tal si estamos hablando de una banda?

Yo apenas he visto el cuerpo de la víctima. Pero desde que me reincorporé como inspector, junto con Castillo, no he visto nada así. Solo una vez hace muchos años. La violencia que el cadáver de Linda Amatista testimoniaba es de la clase que no se ve con mucha frecuencia, por fortuna, aunque quizá sea más frecuente ahora que antes. La abundancia de daños en aquella pobre mujer sugería un sadismo abominable, una mente retorcida. Pero no podía decirle nada de esto ahora, cuando apenas comenzaba su duelo.

—Igual tenemos que hacer nuestro trabajo —respondo—. Sea lo que sea, vamos a llegar al fondo de esto.

Castillo asiente, creo que más por cortesía que por convencimiento.

—Gracias, Goya —me dice—. Yo tengo que ir a casa. Tengo la maldita entrevista en un par de horas.

Una mujer policía torturada y asesinada. Una patrullera asesinada semanas atrás. Y pensar que viví los mejores años de Sancaré sumido en el letargo del alcohol y las drogas, pretendiendo destruirme lentamente, sintiendo lástima por mí mismo. Y ahora que pretendo dejar hasta el cigarrillo, aquellos espectros que habitan las zonas más oscuras del alma humana vuelven a manifestarse en la ciudad, como ese vecino molesto que siempre tratas de evitar, pero que de alguna forma u otra siempre logra cruzarse en tu camino.

Pienso otra vez en Linda Amatista, en la mente enferma detrás de su muerte, y una pequeña voz dentro de mí, una que siempre trato de ignorar, me dice «esto es lo que estabas esperando, nada te llama más la atención, para esto sí eres bueno».

Ya el equipo estaba terminando el levantamiento del cadáver. Por fortuna, pues los furgones de los medios ya han comenzado a llegar. Antes de retirarme, echo otro vistazo a la escena. Noto el tatuaje de un triángulo en uno de los brazos de la mujer. Debajo de este me parece ver por un instante el resplandor de algo metálico, algo que quizá el viento había cubierto con arena y ahora vuelve a mostrar. Tomo un pañuelo de mi saco y acerco la mano.

Son unas esposas manchadas de sangre.

3

GOYA EN LA FIESTA DEL ALCALDE

No he tocado un trago en dos años. Aun así, casi no hay hora del día en que no piense en alguna bebida o que no ubique mentalmente algún bar. Hoy solo he pensado en tabaco y en humo. Y cada vez que un camarero pasa con una bandeja de vino o champán, cada vez que algún comensal suelta una bocanada de humo, siento casi una descarga de electricidad por mis orejas, una sutil pero evidente contracción en mi nuca, algo en la boca del estómago.

Se me ha ocurrido muy tarde llamar a Castillo para saber si vendrá al evento del alcalde, cuando ya me he rodeado de tantas cosas capaces de arruinarme la vida en un instante. No va a venir.

La casa del alcalde es grande y más todavía el patio. Ha colocado varias tiendas de tela blanca, para mesas, un bar y comida. Hay hasta una pista de baile y músicos tocando en directo. Veo a una mesera pasar con una bandeja de canapés y la detengo. Tomo unos cuantos.

Me paseo por el lugar como quien va de safari. Veo tipos hablando entre sí como si manejaran el mundo. Alguno que otro niño corriendo. Jóvenes dispersados que todavía no se conocen. Un pequeño grupo de veinteañeras escuchan a un tipo, embelesadas, y extrañamente el personaje no parece estarlas seduciendo. Personas que no conozco, o que no recuerdo, me saludan. A veces estrecho una mano que sí me resulta familiar. He terminado con los canapés.

Entonces el comandante Sotomayor me reconoce. Su bigote tupido se tuerce por la sonrisa que no disimula, veo que levanta un vaso en señal de saludo. Se acerca.

—Me sorprende que hayas decidido venir, Goya.

—Detestaría menos el lugar si me hubieran dicho que es una fiesta de disfraces —le respondo y tomo un trago de una gaseosa de jengibre—. También amenazaste con descontarlo de mi ya escuálido cheque.

Lo escucho reír. En su aliento hay un ligero rastro a ron, ron añejado por años y de gran calidad. Esto pasaría desapercibido a cualquiera, casi con toda seguridad. Pero no a mí, que no quisiera más que un buen trago de aquel espíritu, puro.

—Yo tampoco soy muy fanático de estos protocolos, pero tenemos que presentarnos formalmente ante las nuevas autoridades. Nuestro trabajo puede depender de ello.

—Lo sé, Sotomayor. Estoy tratando de dejar el cigarrillo, aparte del alcohol y lo demás. Tengo un peor humor que de costumbre.

Él hace un gesto de lástima. Yo tomo unos pastelitos de salmón de una bandeja ambulante.

—Quiero que conozcas a alguien —dice luego, justo cuando hace contacto visual con uno de los invitados.

Veo a un hombre que debe tener mi edad, pero de semblante carismático y pulcro, cabello gris grueso, peinado con cuidado. Lo acompaña una mujer que parece algo tímida, como si hubiera aparecido sin invitación. Tiene un vestido que le llega a las pantorrillas, de color azul marino, muy sofisticado. Pero su semblante es humilde.

—Jefe Goya —dice Sotomayor—, le presento al nuevo intendente del distrito de Villablanca, Rafael Lander, y a su esposa, Carlota Gutiérrez.

—Jefe Goya —me dice el hombre—, es un gran honor conocerlo en persona.

Me embuto el pastel y sacudo con tosquedad las manos en mi saco. Su apretón es firme y algo dramático. Como suele ser el de los políticos.

—Inspector Goya —dice la mujer—, es un gusto.

Ella me saluda con un beso en ambas mejillas. Apenas he dicho algo.

—Todavía recuerdo —dice ahora Carlota— el miedo que sentí hace años, cuando en los medios se recomendó a las mujeres ir acompañadas y guardarse temprano, en la época en que el Fraile estaba cometiendo sus atrocidades.

Carlota Gutiérrez se refería a un asesino de mujeres que operó tiempo atrás en Sancaré, al que los medios habían bautizado de tal forma, tomando prestado el apodo que en su trabajo le habían dado.

Atraparlo me costó perder a mi entrañable compañero de entonces, Marcelo Pérez. Además de buena parte de mi salud emocional.

—Gracias a Dios usted nos libró de semejante amenaza —concluye la mujer.

El recuerdo que han despertado sus palabras me perturba. Veo pasar un camarero ofreciendo vino tinto. Tanto Lander como su mujer toman una copa. Pienso en el sabor del vino.

—¿Está al tanto de lo que ocurrió con Bonilla? —le pregunto al intendente.

—¿Perdón? —se excusa el hombre, retirando la copa de sus labios.

—Durante el día estuve asistiendo a la fiscal Simmons, de su distrito, en un interrogatorio a un tal Demetrio Bonilla.

—Cierto —me confirma—. Me informaron que lo tuvieron en custodia un tiempo prolongado. Eventualmente llegó el abogado del señor y poco después se declaró culpable de recibir dinero de la constructora Pacífico para concederles autorizaciones de obra. La fiscal nunca dejó de presionar —afirma el intendente Lander.

—Parece una funcionaria muy capaz —dije.

—Así es. Lo de Bonilla es una verdadera vergüenza. Por desgracia, no puedo supervisar a cada persona que se emplea. Me dijeron que en la administración anterior había hecho un buen trabajo.

Entonces escuché una voz que no era la de los presentes hasta ahora, pero que ya me era familiar.

—A todos se nos escapa una mosca —dijo Vera Simmons.

Después de intercambiar unas palabras, el intendente y su mujer se excusan para saludar al alcalde y Sotomayor va a pedir otro trago de ron. Vera hace el ademán de buscar un cigarrillo en su cartera, pero se detiene después de mirarme.

—No hace falta que hagas eso —dije—. O que lo dejes de hacer.

—No —responde ella, sonriendo, otra vez esa sonrisa hipnotizante—. Lo he dejado varias veces y sé cómo es ese primer día.

Vera dio un vistazo al lugar. Ahora llevaba un vestido de tela ligera que le llegaba hasta las rodillas, descubriendo unas pantorrillas firmes que sugerían unos muslos carnosos. Llevaba el cabello recogido con un moño elaborado.

—Ahora que lo pienso, esto debe ser un infierno para ti —dice la fiscal—. Toda esta gente fumando casi todas las variedades de hojas que se pueden fumar. Todas esas bandejas con el licor que se te pueda ocurrir.

Pillé una bandeja a la que todavía le quedaban unas pequeñas empanadas.

—Por fortuna también hay de estas —dije.

Vera se empezó a reír de una manera que encontré exquisita. Quizá por la ansiedad que me producía mi situación particular en aquella fiesta, me di cuenta de que el gusto que sentí en aquel instante al escucharla reír por algo que yo había dicho y hecho no lo sentía en mucho tiempo.

—¡Fiscal! —escuché exclamar a cierta distancia, una voz que hacía suponer que su dueño era un completo fanfarrón.

Vi a un hombre de contextura gruesa y un poco más alto que yo. Parecía un poco pasado de tragos.

—Qué placer verla, fiscal —dijo muy poco consciente del espacio personal de ella, quien se veía incómoda.

—Me quedé esperando su llamada —dijo el hombre alzando un poco la voz. A esas alturas, yo ya estaba completamente exasperado por su presencia. Acaso porque me recordó a mí mismo, en un bar.

—Amigo, tranquilícese un poco —le aconsejé.

—¿Y quién es este? —respondió molesto.

—Es el inspector Goya, doctor —intervino Vera—. No hace falta que nos sobresaltemos.

—Ah, ya recuerdo...

El hombre me miraba fijamente, la cabeza un poco baja, como quien busca parecer amenazante. Comenzó a acercarse a mí con lentitud.

—¿No me permite servirle un trago, inspector? —preguntó—. Me rompe el corazón no poderle ofrecer nada que entre por la nariz.

Me imaginé abalanzándome encima del tipo, descargando toda la furia que estaba desencadenando en mí. Y ya me preparaba para volver mi fantasía en realidad. Pero alguien más apareció.

—Doctor Mena —dijo un tipo que había puesto una mano sobre su hombro—. ¿No le da vergüenza estar en este estado en un evento oficial?

El doctor Mena lo miró y se percató de que varias personas lo estaban observando. Pidió disculpas y se retiró. Ahora que lo volvía a ver, lo reconocí como aquel tipo que tenía encandiladas a las veinteañeras. Tras lo cual tomé conciencia de que estuve a punto de agredir a una persona y recordé el cuerpo torturado de Linda Amatista más temprano, a mi difunto compañero, el sabor del *whisky* por la mañana; recordé a Valeria, la hija de Aneth… Empecé a sentirme mareado.

—Guillermo —escuché decir a Vera—, déjame acompañarte a tu auto.

—Estoy bien —le dije—. He tenido un día largo, eso es todo.

Moví la mano en señal de despedida.

Cuando llegué a mi auto sentí que me había quitado un camión de encima.

Ya está terminando, Guillermo, me dije.

Ya va a terminar el primer día.

4

UNA PISTA IMPORTANTE

—Estoy abajo —dice Aneth y cuelga.

La llamada me causa un sobresalto, como la prolongación de lo que soñaba, pero para cuando he vuelto a poner el teléfono en la mesa de noche, ya he olvidado de qué iba el sueño.

Salgo al murmullo matutino de la ciudad. Llevo gafas de sol, pues la luz —aunque no era una mañana soleada— me causa una molestia inusual. El día apenas comienza. Personas vestidas de oficina caminan con prisa. Otras, más casuales, abren comercios de comida. Las calles se ven más estrechas. En unas horas se transformarán, llenándose de autos y gente. Cuando abro la puerta del sedán de Aneth, ella estira un brazo hacia mí, ofreciéndome un café.

—Buenos días —dice, mirándome por encima de las gafas oscuras que ella también lleva. Creo notar cansancio en sus ojos. Quizá ha estado llorando.

Salimos a la autopista con destino al distrito de Olivares. Pasamos por un paso elevado y un anuncio que cuelga de la fachada de un edificio nos llama la atención. Dice «Constructora Pacífico» en letras doradas, sobre un fondo azul marino.

Aneth tiene puesta la radio. En un programa ya se comenta la muerte de Linda Amatista. Una socióloga condena el hecho, llamando la atención sobre la violencia de género y el número creciente de feminicidios en la ciudad. Exhorta a las autoridades a actuar. Miro a Aneth de reojo. Parece disgustada.

—¿Cómo estuvo la entrevista de ayer? —pregunto.

—Fue un desastre —dice mientras menea con sutileza la cabeza—. La mujer llegó más temprano. Para demostrar no sé qué exactamente. Encima Vale me hacía una escena quejándose de que me había tardado mucho, que le había prometido helado…

—Seguro no estuvo tan mal como crees. Venías agitada por las malas noticias.

—No quiero estropear las cosas a estas alturas. El informe de la asistenta social puede hacer que se apele la decisión de la custodia.

—Van a estar bien.

—Ojalá, Goya. Ojalá.

El distrito de Olivares tiene algo en su ambiente que siempre me tranquiliza. No sé si serán sus edificios pintorescos y antiguos, los callejones de piedra, las plazas pequeñas y con mesas, la diversidad de personas que las caminan… Ante los azotes que nosotros mismos producimos, Olivares me recuerda que siempre tenemos algo que vale la pena preservar y nutrir.

Llegamos al apartamento de Linda Amatista. Los oficiales de la comisaría ya están en el sitio, abriendo la puerta.

—Listo, jefe Goya —dice uno.

Es un apartamento modesto, bastante ordenado y limpio. Lo único relevante en la sala es el televisor pantalla plana de alta definición y un equipo de sonido que por su aspecto debe sonar bastante alto. No hay mayores cuidados en la apariencia en cuanto a ornamentación. A excepción de una esquina donde, en la pared y en una mesa, se exhiben varias fotos. Amatista, de niña, con su familia. Hay otras donde recibía condecoraciones. En otra se le ve más joven, en la academia de Policía, con otras dos chicas. Una era Aneth. No reconozco a la otra. Y en una última se ve a toda la promoción.

—Mira esto, Goya —dice Castillo.

Me acerco a una ventana que da a una salida de emergencia en la parte de atrás del edificio. Aneth me señala algo en el marco. Al parecer alguien ha forzado la ventana. Hay marcas en distintos puntos.

—No parecen muy recientes —comento. Aneth ahora entra a la habitación.

—¿Unos tres días quizá?

Paso a inspeccionar la cocina. Sobre la puerta de la refrigeradora hay una frase escrita con letras de colores, de esas que vienen con imanes. «No les des el gusto». También hay un calendario. Algunos días están marcados con un círculo de color rojo y tienen palabras escritas. Dentro de la refrigeradora hay pocas cosas. Un cartón de leche, unos recipientes de salsas, algunas frutas y unas cervezas rojas. Suspiro, recordando el sabor. En unos estantes, cerca de unos condimentos, veo algunos productos de entrenamiento: proteínas, quemacalorías.

—¿Le gustaba mucho el gimnasio? —pregunto en voz alta.

—No —contesta Castillo—. Justamente, mira esto.

Voy a la habitación. La cama, grande y de apariencia cómoda, está tendida casi a la perfección, excepto por uno de sus lados, que da a un tocador, donde la tela no está aplanada. Parece que alguien estuvo sentado allí un buen rato. Veo a Castillo de pie frente al clóset. Tras ella, una ventana alta deja entrar una luz que la hace parecer mucho más madura y profesional de lo que me había molestado en considerar. Lleva pantalones de tela y un saco negro, el cabello recogido. Tiene mucho que aprender, pero la novata de mirada tímida que tocó a mi puerta, cuando todavía yo consumía opiáceos, ya había desaparecido.

—Estas no son sus ropas —me dice, señalando una vestimenta masculina de entrenamiento, identificadas con un logotipo «Body Plus».

—¿Su pareja entrenaba mucho?

—Lo dudo. Mira.

Aneth se mueve unos pasos al tocador que está al lado de la cama y abre una de las gavetas. Me aproximo a echar un vistazo. Era ropa interior, o eso deduje a partir de las texturas y los tamaños de las prendas. Miro a Castillo, extrañado.

—Aquí —dice después de voltearme los ojos.

Hay por debajo una suerte de compartimento secreto del tamaño de toda la gaveta, que sería de algo más de un metro.

—¿No hay nada? —pregunto.

—Nada.

Aneth sale de la habitación. Yo permanezco por un momento mirando el lugar de la gaveta y la sutil hendidura en el cubrecama. Pienso en la ventana forzada. ¿Amatista escondía algo valioso? ¿Dinero? ¿Documentos sensibles? ¿Un posible móvil para el asesino?

Me dirijo a la sala, Aneth está viendo la foto de la promoción. El equipo forense ha llegado y está entrando al apartamento.

—Hay un calendario en la refrigeradora —le digo a Castillo—. Hay una marca sobre el martes pasado.

Aneth me mira y se dirige a la cocina. Yo siento algo moverse en mi saco. Mi celular.

Veo la pantalla. Es mi hija Laura.

5

EL ACOSO

—MAMÁ CREE que la están acosando —dice Laura.

Yo acababa de darle un bocado a un trozo jugoso de bistec con puré de papas que recién me sirvieron en un restaurante del Centro. Es una porción bastante generosa. Está en el punto de mi predilección. La expresión de mi rostro no disimula el gusto que me produce. Las palabras de Laura me toman por sorpresa, no solo por el momento en que las suelta, sino porque no soy capaz de imaginar a Silvia teniendo que decir algo así.

—¿Escuchaste lo que acabo de decir? —increpa.

Yo asiento, todavía masticando el bocado.

—Lo siento, no desayuné esta mañana —digo.

—¿Está tan bueno? —pregunta, juntando luego los labios, como señalando hacia mi plato.

Cuando era pequeña y salíamos todos a comer, con frecuencia Laura terminaba su comida y se quedaba viendo la mía o la de Silvia un rato. Le preguntábamos si todavía tenía hambre o si quería probar de nuestro plato, su respuesta siempre era no. Eventualmente, alguno de los dos le terminaba dando de comer sin preguntarle. Todavía veo a esa niña.

Corto otro trozo, uno pequeño. El cuchillo se desliza con facilidad, la carne suelta su jugo. Le acerco el bocado. Mientras lo mastica, sé que el bistec le ha parecido mucho mejor de lo que está demostrando.

—¿Qué? —pregunta.

—Nada.

Quizá mi relación con Laura no es tan mala como pienso. Desde que retomé la labor de inspector la he visto más veces que los diez años anteriores. O más.

—Guillermo, mamá dice que un auto la estuvo siguiendo esta mañana. Ella salió a desayunar y a hacer unas diligencias. Me contó que un furgón negro de ventanas oscuras siempre estuvo cerca en todo su recorrido.

—¿Un furgón negro?

—Poco tiempo después la comenzaron a llamar al teléfono de la casa. Cada vez que contestaba, nadie hablaba por el otro lado. Dice que solo escuchaba a alguien respirando. Cuando te llamé, acababa de hablar con ella. Se escuchaba muy nerviosa. Aparentemente en la jefatura local no la han tomado en serio.

Continúo comiendo. Pensando. Dudo mucho que a Silvia le haya ocurrido algo así antes.

—¿Tu mamá sabe que me estás contando esto?

—No quería que te dijera nada. Pero yo misma llamé a la jefatura local antes de venir aquí, para hacerles saber que la denuncia de mamá iba en serio. Me parece que no van a mover un dedo.

Lo mínimo que podría hacer para ayudarla es pedir que una patrulla ronde la zona con la mayor frecuencia posible. Pido otra cesta de panes tostados con mantequilla de ajo.

—Nadie va a venir a robarte la comida, Guillermo —dice Laura.

—Quiero que le sugieras a tu madre que me llame si la vuelven a seguir.

—Sabes que no quiere tratar contigo.

—La jefatura local no puede hacer mucho si todo empezó hoy.

—¿Y tú? ¿Qué puedes hacer tú, Guillermo?

—Quizá pueda contactar a alguien que esté pendiente. Tengo que hacer llamadas. Pero si me avisa, la ayuda puede ser más efectiva.

Quizá exista alguna otra manera más conveniente para ella, una que no me involucre y así ahorrarle la molestia de tener que verme o hablarme. Pero ni siquiera me molesto en considerar semejante opción. Solo pienso en que tengo una oportunidad para hacer algo por ella y verla otra vez.

6

EL TRÍO DE AMIGAS

ANETH NO IGNORABA el dolor de las ausencias. Ya la vida le había enseñado que perder a alguien querido era también perder una parte de sí misma. Ya lo había experimentado con la muerte de su padre, una tristeza honda y pesada. Lo que ella ignoraba era esa suerte de consuelo que viene cuando el duelo es compartido.

El día anterior, después de dejar la escena del crimen, Aneth juntó fuerzas para notificar a Gloria Amatista sobre la muerte de su hija. Entonces no tuvo más opción que hacerlo por teléfono, pero le prometió visitarla al día siguiente. Necesitaba verla en persona. Además, otra cosa la inquietaba: Henry Parra, la expareja de Linda. ¿Dónde estaba? ¿Qué podría saber que ayude a la investigación? Empezaría por preguntarle a Gloria.

Mientras conducía hacia su domicilio, con el horizonte marítimo a un costado, Aneth recordó aquella mañana cuando apenas empezaba la academia de Policía. Iba por la segunda vuelta de un circuito de entrenamiento y le había costado retomar el ritmo del trote al descender por una soga.

Otro aspirante con mejor condición física la pasó de largo, tumbándola al suelo. El sol picaba en su rostro. No recordaba haberse sentido tan exhausta. Entonces vio una silueta detenerse frente a ella y ofrecerle una mano para levantarse. «Son unos salvajes», dijo. Así conoció a Linda Amatista.

Cuando ya entraba al barrio donde vivía Gloria y en que la misma Linda residió durante su paso por la academia, Castillo miró con afecto el portal del vecindario. ¿Cuántas veces había pasado por él junto con Linda y Mariana, haciendo una parada en el mercado popular justo después del portal, para pedir un raspado?

Estas postales se grabaron en su alma con una alegría particular que Aneth no había experimentado antes en su vida, pues nunca hizo amistad con nadie como con Linda Amatista y Mariana Pombo.

Mariana... ¿Serían ciertas las sospechas de Linda?

Aneth se permitió sentir la felicidad que aquellos recuerdos le generaban. Pero rápidamente sus emociones comenzaban a multiplicarse y su mundo interno a abrumarla, como si una represa estuviera a punto de resquebrajarse. Se enfocó entonces en el propósito que la había traído de vuelta a ese lugar.

Vio las ventanas y las cortinas de la vivienda de Gloria abiertas, quien vivía junto con sus hermanas en el segundo piso de un edificio de dos plantas. Las luces estaban encendidas. El día se había vuelto grisáceo otra vez.

Aneth tocó el timbre y se alejó un poco para ver hacia el balcón de Gloria, quien no demoró en asomarse. El parecido que tenía con Linda le impresionó de manera particular cuando la recibió con un abrazo, largo y afectuoso, casi como si tomara a su propia hija entre sus brazos.

Después que Castillo saludó a los presentes, la madre se apartó con ella a la cocina. Al sentarse, Gloria se mantuvo en silencio un momento, sonriendo, observándola. En su sonrisa se expresaba con claridad la alegría de verla, pero a la vez se percibía la tristeza profunda que la pérdida de su hija le producía. Ambas cosas a la vez, pensó Aneth. Así de complejos somos.

—No puedo dejar de preguntarme quién sería capaz de quitarme a mi niña, Aneth.

Aneth calló. En su mente, un alud de palabras, información, teorías sobre lo ocurrido trataban de barrer con su discreción.

—¿Por qué alguien querría quitarle la vida?

—Apenas comienzo con la investigación, Gloria. Te juro que voy a dar con los culpables.

—¿Culpables? —preguntó la madre con la voz quebrándose.

Maldita sea, pensó Aneth.

—O quizá hay un solo responsable. Es muy temprano para saber con certeza, madre.

Gloria asiente, llevándose el puño a los labios.

—¿Sabes cómo terminaron las cosas con Henry? —preguntó Aneth.

—Linda ya tenía algún tiempo queriendo dejarlo. Parece que él tenía problemas con el juego. Un día discutieron muy fuerte. Henry le puso la mano encima.

La expresión compasiva de Castillo se transformaba en una de resentimiento.

—Linda nunca me contó nada de eso —comentó Aneth casi como un reclamo.

—Tú sabes cómo era de orgullosa. Nunca le había ocurrido algo así con una pareja. De haberlo querido, ella pudo dejar a Henry retorciéndose de dolor en el suelo…

Gloria se detuvo, tratando de controlar sus emociones. Aneth tomó su mano.

—¿Sabes si estaba viendo a alguien más después de Henry?

—Nunca me mencionó nada —respondió Gloria luego de recomponerse—. Pero yo sé que sí. Las últimas veces que la vi tenía una alegría distinta. Los que saben, saben. Es esa alegría que hace parecer a uno más liviano, como si flotara. La alegría de cuando hay buena cama…

Castillo soltó una carcajada y enseguida ambas estaban riendo.

7

LA EXPAREJA DE LINDA AMATISTA

SON LAS DOCE DEL MEDIODÍA. Aneth y yo nos encontramos en su auto, en un sector corporativo del distrito de El Palmar, quizá el más extravagante de Sancaré. Nos rodean altos edificios con fachadas de cristal que reflejaban el azul profundo del cielo despejado. El sol es intenso, pero también corre la brisa de la costa, que está a pocas calles de nosotros.

—Buen lugar para un logotipo —dice Aneth, señalando un camión de concreto que pasa frente a nosotros, el contenedor identificado con una gran «T» color naranja.

El camión hace un cruce y entra en un lote de tierra que ocupa la mitad de la manzana. El enrejado que rodea el terreno está cubierto y es imposible mirar hacia adentro, pero el esqueleto de un edificio comienza a erigirse visiblemente desde su interior.

—Ese debe ser el lugar —le indico a Castillo.

Ella cruza en la esquina para buscar dónde estacionar el auto. Esta es la dirección donde esperamos encontrar a Henry Parra. Pensaba en Parra y la posibilidad de que fuera un ludópata, según Castillo me había informado en el camino, hablándome sobre su encuentro con Gloria Amatista.

Una señora que vende cigarrillos, café y galletas se detiene al verme salir del vehículo. Me ofrece varias marcas para fumar. Observo a Aneth solo para verla levantar las cejas. Me acerco a la acera para comprarle un café a la señora. Aneth también. Hay un quiosco cerca con la prensa del día, varias personas mirando los titulares, como suelen hacer, solo para no sentirse muy desubicados, como si quisieran asegurarse de que el fin del mundo no aparece en los titulares y así poder continuar con su día. Castillo se acerca al quiosco. La señora me vuelve a ofrecer cigarrillos. Volteo para mirar a mi compañera nuevamente. Parece interesada en la prensa, así que me acerco, intrigado, pues no es algo que ella suela hacer. La muerte de Amatista aparece en la primera página de algunos diarios. Y en uno se menciona su nombre junto con el de Yuli Obregoso, la patrullera que había muerto unas semanas antes que Linda. «Son dos las policías muertas en lo que va de mes», dice en letras más pequeñas.

Nos disponemos a cruzar la calle para entrar a la construcción, pero me detengo en un último momento.

—Señora, ¿sabe a qué hora juegan los próximos números de LotoCaré?

—A las diez.

Miro mi reloj. Nueve y treinta. Aneth me observa, levantando las manos en señal de incomprensión.

Ya dentro de la construcción, tocamos la puerta de la oficina principal, una de esas estructuras rectangulares prefabricadas. Nos habían dirigido allí un par de obreros que nos recibieron en la entrada, entre ruidos de maquinaria diversos. Henry nos saluda a la distancia y se excusa con otros trabajadores que estaban hablando con él. Su apariencia no es como me la esperaba. No tenía una expectativa muy concreta tampoco, pero pensé que sería alguien un tanto por encima de su peso ideal, cabello corto, de aspecto jovial. Cuando nos da la espalda para volver tras su escritorio, Castillo me ve con ojos de sorpresa y sospecha, como si ella misma hubiera notado un cambio significativo en el semblante general de aquel sujeto. Quizá ha adelgazado mucho. La ropa que lleva puesta le queda algo holgada. Sus ojos dan señales de poco descanso y está empezando a perder cabello.

—No imaginé que tú misma tomarías este caso, Aneth —le dice Parra con el rostro de quien camina en puntillas.

Aneth toma asiento y conversa con él. Antes de hacer lo propio, advierto una gaceta hípica en un estante pegado a la pared detrás de Henry. En el mismo escritorio veo una tarjeta con la imagen de un santo, no encuadrada como una foto, más bien suelta, como si fuese un lápiz o un celular. Es una imagen de san Expedito. También veo una radio portátil.

—¿Cuándo supiste lo que le había ocurrido a Linda? —le pregunta Aneth, asumiendo una postura de empatía.

—Me enteré ayer mientras escuchaba la radio —le responde, tomándose un tiempo entre cada frase. Parecía de verdad triste—. No lo podía creer.

—¿Qué estabas haciendo?

—Me estaba preparando para venir al trabajo. La primera vez que escuché su nombre no me había convencido. Fue después de escucharlo varias veces que entendí lo que ocurrió. Llamé a Gloria de inmediato.

—¿Y cómo recibió tus condolencias? —pregunto yo esta vez. Parra me mira como si no esperara mi intervención en nuestra entrevista.

—Creo que bien.

—¿De qué hablaron? —inquiere Aneth.

—Bueno, la verdad es que ella fue muy fría y apenas me agradeció la llamada.

—¿Por qué?

—Pues Linda y yo no acabamos en los mejores términos, supongo.

Una alarma comenzó a sonar. Castillo y yo nos revisamos los bolsillos como en piloto automático, pero es Henry el verdadero interpelado por el sonido. Se levanta de inmediato y revisa en los bolsillos del saco que había colocado en su propia silla. Yo miro la hora. Las diez.

—Ojalá salgan mis números… —digo.

—¿Cómo? —exclama Aneth, ignorando todavía mis intenciones.

—Nada —respondo—. En el sorteo de la mañana.

Desde que solté la palabra números, Parra no ha dejado de mirarme, tratando de disimular el entusiasmo.

—Sí —dice—. El sorteo debe estar por empezar.

Henry busca la radio portátil.

—¿Juegas mucho? —le pregunto.

—No —dice mientras busca la emisora—. Solo un poco recientemente.

—¿Por qué dices que tú y Linda no acabaron en los mejores términos? —indaga Aneth, cambiando el tono.

Parra nos mira como un niño que ha sido descubierto jugando con algo que tiene prohibido tocar. Apaga el aparato y lo deja en el escritorio.

—No le gustaba tener un compañero que ganara menos que ella.

—Eso no es lo que Linda le contó a su madre —comenta Aneth.

—¿No sería más bien porque estabas jugando mucho a los números, Henry? —pregunto.

—Oigan —dice él—, la moneda siempre tiene dos caras. Evidentemente, Linda no le iba a contar una versión a su propia madre donde ella quedara mal, ¿no?

Observo a Castillo: su mirada ha cambiado, sus manos aprietan con fuerza los reposabrazos de la silla.

—¿Es verdad que estabas pidiéndole dinero prestado con mucha frecuencia? —pregunto.

Henry se había comenzado a hundir en su silla, cruzando los brazos.

—¿Ustedes creen que yo maté a Linda? —pregunta él a su vez, indignado—. ¿Soy un sospechoso?

—¿Te has endeudado con gente peligrosa? —inquiere Castillo.

—No…

—¿Es por eso por lo que le pegaste a Linda? ¿Por miedo?

—¡La golpeé porque era una maldita zorra! —exclama Henry, levantándose de su asiento.

Con una velocidad inusitada, Aneth se acerca hasta a él y lo toma de la camisa con las dos manos, llevándolo contra la pared.

—Así es —insiste Parra sin quitarle la mirada—. La golpeé porque la encontré en la cama con otro.

La respiración de Aneth parece la de un motor esperando el cambio para partir a toda potencia. Por fortuna, ya me encontraba a su lado.

—Compañera —le digo—, esto no es lo que hacemos nosotros.

Castillo no le quita los ojos de encima al hombre, pero lo suelta. Solo ella sabe todo lo que se imaginó hacerle sufrir. Parra tiembla, pero no pierde la compostura. Se debió creer el ganador indiscutido de una contienda épica.

Ya saliendo por la puerta lo escucho gritar algo sobre demandarnos.

8

ANETH, TIENES QUE IR CON MUCHO CUIDADO

AQUELLA TARDE, Aneth había planeado averiguar quién era el amante de Linda. Estaba en su auto, una mano al volante y la otra en el encendido, pero algo la detenía. Soltó la llave y giró su antebrazo, volviendo la parte interior para sí misma. Soltó el volante y remangó su chaqueta de cuero. Observó el triángulo que tenía tatuado y se pasó los dedos por encima, sintiendo la piel apenas levantada por la tinta. Una punta era ella, otra era Linda y la última era Mariana Pombo. «Mariana está desaparecida», gritó en su mente Aneth como quien alza la voz para evitar un accidente. Encendió el motor y tomó con firmeza el volante.

Había dos cosas que le parecieron algo fuera de lugar, ahora que pensaba en la última vez que habló con Linda Amatista. Una fue el momento cuando habló de Mariana y Yuli Obregoso. Linda no se extendió mucho sobre el asunto. Solo mencionó que estuvo tratando de ubicar a Pombo y que nadie sabía a dónde se había escapado. La palabra no era casual, aparentemente Mariana no pasaba por un buen momento. A Obregoso solo la mencionó de paso, como un factor que agravaba su preocupación por Mariana. Linda se había entrevistado con Yuli cuando investigaba la desaparición de Mariana ¿Qué era lo que Yuli Obregoso le dijo en esa entrevista que sea relevante en su investigación?

Castillo aumentó la velocidad en la autopista, pasando vallas publicitarias de campañas políticas y mujeres en bikini sosteniendo botellas de cerveza, camino al distrito de Puertollano, donde Mariana se desempeñaba como oficial de Policía.

Sin embargo, apenas Aneth le garantizó que de seguro estaba bien, recordándole su carácter disipado y bromista, Linda dejó el tema y no lo volvió a mencionar. La otra cosa era el tono que la voz de su amiga adoptó cuando le propuso tomarse unos días libres. Era un tono melancólico. En ese momento pensó que, de pronto, aquel día Linda se sentía particularmente triste por su ruptura con Henry. Después de todo, había sido la relación más larga que tuvo. No obstante, en retrospectiva, el tono se revestía con una nota aciaga. «Como en los viejos tiempos», volvió a decir Linda en el recuerdo.

Aneth entró a Puertollano pensando en lo mucho que se había equivocado al tomar aquella última conversación con tanta ligereza. Mucha gente caminaba a esa hora, turistas y locales, sobre todo jóvenes. Este era el lugar preferido de Mariana. Grupos riendo, otros pidiendo helados en un camión. El día era perfecto. Perfecto para quien no tiene que investigar el asesinato de una de sus mejores amigas y la posible desaparición de otra.

Avanzó un par de calles y aprovechó una luz verde para cruzar hacia el corazón del distrito, donde se encontraba la comisaría de Puertollano.

Aquella comisaría siempre le pareció algo desconcertante. Se había instalado en una antigua casa colonial, cuya fachada pintaron de color celeste. Quizá para fines turísticos podía tener cierto atractivo, pero le daba un aire inofensivo totalmente perjudicial para la imagen de la Policía, pensaba Castillo.

Antes de entrar, vio a una patrullera de piel oscura y ojos claros colocándose el sombrero del uniforme. Era un poco baja y parecía muy joven, de rostro delicado.

—Oficial —dijo Aneth—, soy la inspectora Castillo, del

Departamento Principal de Homicidios de Sancaré.

Notó cierto cambio en la disposición de la mujer, su mirada había perdido ese halo de autoridad que siempre tienen los policías.

—¿Sabe dónde —continuó— puedo encontrar a la oficial Mariana Pombo?

La chica miró hacia la comisaría.

—Será mejor que pregunte en la recepción, inspectora —le dijo.

En la recepción le informaron que Pombo había dejado de presentarse desde hacía casi un mes. Aneth estaba sorprendida de que aquella información le fuera dada sin ninguna clase de alarma. Preguntó si no había sido reportada como desaparecida. Le dijeron que estaba por retirarse. Nada de lo que le dijeron encajaba con la persona que era Mariana Pombo. Insatisfecha, Aneth le pidió a la recepcionista que le indicara dónde podía encontrar el escritorio donde trabajaba Mariana.

En el segundo piso habló con varios compañeros. Mariana les contó que tenía problemas en casa y en la misma comisaría el comandante le había hecho varios llamados de atención. De estos, el más grave tenía que ver con posesión de marihuana. El mismo comandante la había escuchado contar una anécdota al respecto, sin saber que él la estaba escuchando. Al menos un par de veces había discutido con el comandante y algún otro compañero, y más de uno la escuchó decir en voz alta que estaba harta de Sancaré, que un buen día se iría y entonces todos la extrañarían.

Las personas que se congregaron alrededor de Castillo, respondiendo sus preguntas, le dijeron que hace no mucho otra mujer había estado allí haciendo preguntas muy parecidas. Era Linda Amatista. Entonces sonó una puerta y un hombre muy alto, sin cabello y piel negra, se acercó. Era el comandante de la comisaría, un hombre llamado Reinaldo Mires.

—Comandante —dijo Aneth después que los otros se retiraron—, soy la inspectora Castillo. Estoy tratando de averiguar el paradero de la oficial Mariana Pombo.

—Inspectora —dijo el hombre, su voz era como un martillo—, permítame ahorrarle mucho tiempo: lo más seguro es que la oficial Pombo no esté en Sancaré. Acaso ni siquiera esté en el país. Probablemente esté trabajando de cajera en una tienda departamental o algo parecido, algo que requiera muy poca responsabilidad.

A Castillo no le había gustado nada lo que oyó. Mucho menos la forma en que lo dijo. Este se había retirado a su oficina. Castillo no es la clase de mujer a la que puedes dar la espalda después de hablar mal de quienes estima. No importa si eres el comandante o el presidente.

Cuando ella entró a la oficina del comandante, este ya estaba sentado. Se mantuvo a poca distancia de su escritorio, de pie, las manos en la cintura.

—Entiendo que había expresado ese deseo abiertamente —dijo Aneth ante la mirada incrédula del hombre— y que no parecía muy a gusto en la comisaría. Pero conozco en persona a la oficial Pombo. Hicimos la academia juntas. Y aunque reconozco que no era la persona más disciplinada, estoy segura de que ella no haría algo tan impulsivo como eso.

—Me alegra mucho saber que Pombo tenía tan buenas

amigas, pero no puedo malgastar recursos en algo que considero completamente innecesario.

—Señor, más allá de que Mariana Pombo fuera de su agrado o no, existe la posibilidad de que su desaparición sea motivo de preocupación para las fuerzas policiales de la ciudad, en especial para las mujeres que trabajamos en estas. Entiendo que la oficial Amatista, de Olivares, también quiso hacer la misma denuncia, pero no entiendo...

—Inspectora, ¿me está diciendo que la desaparición de Pombo está relacionada con el asesinato de Amatista?

—No es algo que se pueda descartar a primeras.

—A ver, ¿Amatista también era su amiga?

—Esto no tiene que ver con...

—Lamento mucho que haya perdido a su amiga en circunstancias tan terribles, pero tenemos muchos y muy variados problemas con los que lidiar en este distrito, inspectora. El año pasado fuimos el distrito con mayor porcentaje de turistas y este año parece que van a ser más. ¿Sabe lo que significa eso? Significa mucha juerga. Y mucha juerga significa alcohol, drogas, prostitución...

Las palabras del comandante parecieron perderse entre los sonidos de la comisaría. Aneth acababa de entender que ella misma había actuado como el comandante cuando habló con Linda. Ella, que se suponía que era la amiga más cercana de ambas, de Linda y Mariana. Sintió rabia. Sobre todo con ella misma.

—Señor, precisamente por eso es por lo que esto es importante, es probable que detrás de todo esto haya una banda criminal, quién sabe si drogas...

—¡Inspectora! —exclamó Mires, deteniendo la retahíla de argumentos que comenzaba a disparar Aneth—. Usted no va a decirme cómo manejar mi comisaría. Le pido que se retire.

Aneth permaneció congelada, sin saber cómo decir lo que quería, sin volver un infierno aquel lugar.

Cuando Castillo estaba por entrar a su auto, completamente frustrada, una mujer la detuvo. Era la patrullera que había visto al llegar a la comisaría. La mujer se acercó a ella y estrechó su mano, entregándole un papel doblado. Sostuvo su mano un momento.

—Tiene que ir con mucho cuidado —le dijo a Castillo.

Aneth abrió el papel. Decía: Lucio Mata, Melissa Ramos.

9

LOS DATOS DEL FORENSE

Miro el rostro pensativo de Aneth bajo una luz intermitente, justo fuera de la sala de autopsias. El doctor Oliver Márquez nos ha citado esta mañana para el informe forense de Amatista. Aneth no ha logrado averiguar la identidad del supuesto amante.

—No creo que pueda hacerlo, Goya —me dice por fin.

Toco tres veces la ventana de la sala con mis nudillos. En breve, sale el doctor Márquez con una carpeta y un portapapeles.

—Vamos a mi oficina entonces —afirma el doctor.

Aunque Castillo va a mi lado, siento que se aleja poco a poco de todos nosotros. Y por más que piense en cómo traerla de vuelta, nada se me ocurre. Solo encontrar al asesino de Linda Amatista.

Ya acomodados, el doctor Márquez colocó sobre su escritorio, cerca de nosotros, el portapapeles y algunos contenidos de la carpeta, como si repartiera barajas de un casino maldito.

—Hemos encontrado semen dentro de la víctima. Envié

una muestra a analizar para tener una referencia, en caso de que se necesite contrastar con la de algún sospechoso.

Aneth se remueve en su asiento. Escucho un carraspeo de garganta.

—La causa de la muerte —continúa Márquez— es ahorcamiento. Fue realizado con una soga. Hemos encontrado pequeñas fibras incrustadas en el cuello.

—¿Sabemos algo de la hora de muerte, doctor? —pregunta Aneth, impaciente.

—Yo estimo unas cinco horas antes de haber sido encontrado. Al comienzo me extrañó el contraste entre la lividez de la piel y la rigidez del cuerpo. La mayoría de los cadáveres que me llegan aquí ya tienen una descomposición considerable. Pero ello porque en Sancaré hace calor buena parte del año y hay mucha humedad. Esto me hace suponer que la víctima probablemente estuvo cautiva en una habitación con una temperatura más baja que la de esta misma oficina. Mucho menor a la de la calle.

Yo miraba las fotografías del cadáver en el escritorio de Márquez. En especial, me había fijado en las laceraciones en las muñecas de la víctima.

—¿Los rastros de sangre en las esposas...? —indago.

—Son de la víctima —me indica el doctor—. Es alarmante considerar los suplicios y el tiempo que tuvo que soportarlos. Los diversos estados de cicatrización en que se encuentran sus heridas sugieren al menos cuatro días de padecimiento. Y aunque el daño en sus muñecas es bastante grave, sería mucho más drástico de haber estado colgada continuamente durante noventa horas. También hay elementos que indican que se usó una sonda para administrarle agua o algún suero.

—El maldito quería que aguantara lo más que pudiera —

dice Aneth, tras lo cual se levanta y sale de la oficina del doctor.

Voy tras ella y la sigo hasta la calle, justo fuera de la comisaría. El cielo es gris y de él cae una llovizna que dibuja formas vagas cuando la brisa corre fuerte. Ella se apoya en un auto, mirando en sentido contrario a la comisaría. Los ojos cerrados.

—Siento haber salido así —se excusa.

—Creo que deberías tomarte el resto del día, estar con tu hija —le digo.

—Antes quiero saber qué opinas de todo esto, Goya —agrega enseguida—. Es obvio que los que hicieron esto son unos malditos monstruos. Pero ¿cuál es el marco? ¿Cuál es la perspectiva que envuelve todo?

No solo carezco de una respuesta satisfactoria para Aneth. Ella misma ya parece tener unas cuantas ideas al respecto.

—¿Qué tienes en mente? —le pregunto.

—Creo que puede ser un nuevo cartel —responde.

Trato de ocultar mi desacuerdo, sin éxito, a juzgar por el ceño fruncido en su cara.

—Piénsalo, Goya —dice—. ¿Cuántas veces hemos escuchado sobre lo atroces que son las torturas de las bandas criminales, de las guerrillas o de los grupos terroristas?

—¿Pero entonces crees que Linda se volvió una policía corrupta?

—No —responde, como atormentada por algo que no sabe expresar—. Pero pudo haber descubierto a uno que sí lo era. Alguien de alto rango.

—Pero no tenemos ni siquiera el más mínimo indicio de tal cosa.

Al escuchar lo que acabo de decir, algo cambia en el gesto de mi compañera que me intriga.

—¿Acaso hay algo que no estás compartiendo conmigo, Castillo?

Espero una respuesta inmediata. Pero no la hay.

—¡Hey! —exclamo, dando un golpe sobre el capó del auto, exigiendo una respuesta de su parte.

—Cálmate, por Dios —responde Aneth, sorprendida.

—Ya es bastante con que estés manejando un caso en el que estás involucrada en lo personal. Pero si encima vas a ocultarme información…

—No lo estoy haciendo —dice—. ¿Qué diablos te pasa Goya?

No vi venir el brote de ira. Estoy avergonzado. Ambos callamos.

—Es que no dejo de pensar en que Linda me haya mencionado a Yuli Obregoso, la patrullera asesinada. Además…

—¿Qué?

La voz de Hilario Cota irrumpió de pronto, llamándonos. El comandante Sotomayor nos quiere ver en su oficina.

10

ACUSACIONES SIN BASE

La cara de Sotomayor no augura nada bueno para nosotros.

—Hace un rato recibí una llamada de un tal Henry Parra, desde un sitio de construcción de la compañía Terra.

Sotomayor calla después, atento a nuestras reacciones.

—¿Les suena el nombre? —dice luego.

—Es la antigua pareja de Linda Amatista, señor —responde Aneth—. Es posible que haya estado implicado en su muerte.

—Pues me dice que se entusiasmó mucho en su entrevista, inspectora —agrega el comandante, haciendo gala de un sarcasmo supremo.

—Señor, Parra estaba actuando…

—Y resulta que ahora —interrumpe Sotomayor— acabo de terminar una llamada con Reinaldo Mires, el comandante de Puertollano, quien ha presentado una queja formal por su actitud irrespetuosa, inspectora, en la misma oficina del comandante.

Yo esto no lo sabía y no pude evitar voltear a mirar a Castillo.

—Señor, es posible que…

—Inspectora, sabe muy bien que le estoy haciendo una cortesía al mantenerla en este caso. Se la ha ganado. Pero si ambos van a ir por ahí dejándome mal parado a mí y a todo el escuadrón de homicidios, pues se pueden despedir del caso y de las cortesías.

Ambos tratamos de decir algo capaz de aminorar la tensión, pero el comandante no nos lo permite. Bastó con que levantara la mano e inclinara un poco la cabeza.

—Retírese —le dice a Aneth.

Ella sale de inmediato. Y cuando yo me dispongo a hacerlo, el comandante me pide que me acerque.

—Esto quizá no me sorprenda tanto de Castillo —dice—. Todavía tiene mucho que aprender. Pero tú deberías saber mejor, Goya.

—¿Qué quieres que te diga, Sotomayor? ¿Que me avergüenzo? Te vas a quedar esperando.

—No me interesa. Quiero que mantengas a Castillo en sus cabales. Si empieza a hacer acusaciones sin base por donde vaya, te va a perjudicar a ti, a mí, y a todos en esta comisaría. Recuerda que hay nuevas autoridades esperando devolver favores.

Salgo de la oficina del comandante, contrariado. A la vez, molesto por sus palabras, pero consciente de por qué las ha dicho. Pienso en mis capacidades y en si todavía me encuentro a la altura de los casos que se me presentan. Pienso en el bar más cercano a la comisaría.

Cuando me deslastro de mis propios pensamientos, advierto que Aneth está sacando algunas cosas de su escritorio.

—¿Me quieres decir qué hacías en Puertollano? —le pregunto al alcanzarla.

—Ahora no, jefe Goya —suelta después de un suspiro—. Ahora no.

Me mira como quien no sabe explicarse porque no sabe bien lo que le pasa.

—Anda con tu hija —concluyo, fastidiado.

Cuando la pierdo de vista, recuerdo la ropa de entrenamiento masculina «Body Plus» en el clóset de Linda Amatista. Recuerdo que aún no hemos podido identificar a su dueño y que esta puede aportar información crucial.

Empiezo a pensar en la forma de dar con el misterioso amante de Amatista. Primero se me ocurre entrevistar a algunas personas del edificio donde vivía Linda. Preguntarles si la habían visto con alguien más en los días anteriores a su desaparición. Y luego se me ocurre que quizá es mejor averiguar en qué gimnasios él entrenaba. Acaso alguien de su comisaría estuviera al tanto de eso.

Cuando ya voy a dejar la oficina recibo una llamada al celular. Miro la pantalla, donde veo un número desconocido. Contesto.

—¿Sí? —digo, expectante.

—¿Guillermo? —pregunta la voz de una mujer.

Mi primera impresión, que no debió durar ni un segundo, es de desconocimiento. No reconozco de inmediato la voz. Y, sin embargo, algo en su timbre parece alborotar hasta las células de mis huesos, como si hasta allí se hubieran almacenado memorias de la mujer que me llama y que llevo años sin ver ni escuchar.

11

EL FURGÓN NEGRO DE MAFIOSO

Me cuesta recordar mis primeros años como inspector, cuando pensaba que mi vida era perfecta.

Lo era.

Tenía una buena relación con mi esposa y una hija que nos colmaba de felicidad a ambos. Mi trabajo empezaba a ser valorado y yo sentía que estaba en donde tenía que estar. Es extraño, pero los recuerdos de esa época son muy imprecisos. Curioso que el periodo más feliz de mi vida no lo pueda recordar con mayor detalle que la sensación de alegría que me producen.

—¿Guillermo? ¿Estás ahí? —insiste Silvia ante mi silencio.

—Silvia. Aquí estoy.

Ambos nos quedamos sin decir nada un momento. Apenas emitimos algunos sonidos, buscando cómo empezar aquella conversación.

—¿Te interrumpo? —pregunta ella.

—De ninguna manera. Es que ha pasado tanto tiempo…

—Te llamo por una razón muy concreta —agrega de inmediato—. Y no lo hubiera hecho si no fuera necesario.

Trago saliva. Tengo seca la garganta.

—Entiendo —confirmo.

—Supongo que Laura ya te habrá puesto al tanto.

—Algo me ha dicho.

—Pues la Policía local no ha respondido de manera satisfactoria, así que... Bueno, hoy he visto el furgón negro otra vez.

—¿El que dices que te estuvo siguiendo hace unos días?

—No es solo algo que «digo», Guillermo. Es un hecho. Me estuvo siguiendo.

—No era mi intención sugerir...

—El hecho es que hoy sucedió lo mismo. Pero esta vez decidí acercarme para enfrentarlos. Para que den la cara...

—Silvia...

—¿Adivina qué? Se dieron a la fuga. En lo que empecé a increparlos, encendieron el motor y se fueron.

Suena, más que molesta, con temor, si bien tengo claro que toda esa situación le inquieta bastante.

—Debes tener cuidado —comento—. No sabes quiénes son ni lo que pueden hacer.

—Está bien, Goya. Pero a veces no puedo con mi genio.

—Lo sé. ¿Sigues dando clases en la universidad?

—Claro. ¿Crees que esto sea algo por un estudiante?

—Sabes que no es raro que algún idealista de Sociología termine en un grupo insurgente.

—Pero no van en furgones negros de mafioso, Goya —añade, casi riéndose, con las defensas suspendidas por un instante.

—Pues voy a hacer unas llamadas. Quizá puedan reforzar la seguridad en la zona donde vives. Pero no sé qué tanto me hagan caso. No tengo la misma influencia que hace años.

—Por favor...

—Pero si vuelve a ocurrir algo y me avisas a mí directamente, yo mismo me puedo hacer cargo.

—Nunca pensé que tendría que volver a dirigirte la palabra en circunstancias como esta.

—Yo… —trato de decir algo, pero no puedo.

—Desearía no verme obligada a hacerlo. Pero sobre todo desearía que no me siguiera importando, después de todos estos años.

Silvia termina la llamada. Sin despedirse. Sin permitirme decir nada. Después de mirar la pantalla de mi teléfono me doy cuenta de que ya he dejado la comisaría y camino por callejones del Centro. Siento un frío en las orejas y el sonido de las cosas a mi alrededor se torna caótico y abrumador.

Las últimas palabras de mi exesposa estaban llenas de resentimiento. Su voz se había cargado de amargura, justo cuando me pareció que volvía a la normalidad. Nunca esperé que esta conversación transcurriera como si nada. Aunque fuera un deseo inevitable. Y, por un segundo, así pareció que ocurría. Mi propia ingenuidad nunca deja de sorprenderme, en especial por el cinismo que caracteriza a esta persona en la que me he convertido.

Revivo con intensidad la culpa y el asco que me colmaron cuando tuve que separarme de mi esposa y mi hija. De inmediato, una herida por la que he respirado por muchos años se vuelve a abrir. Una herida que traté de sanar borrando mi consciencia, en el letargo de los opioides y la embriaguez del alcohol.

La respiración se me comienza a dificultar. Mi corazón late con velocidad y empiezo a sudar frío. Entonces un temor espantoso me sobrecoge. Miro a mi alrededor y la gente me observa consternada. Siento que el suelo se mueve y me tengo que apoyar en un muro.

¿Estoy muriendo?

Mi teléfono vuelve a sonar.

12

LO ENCONTRARON MUERTO EN SU CELDA

—¿Inspector Goya? ¿Inspector?

La voz de la fiscal Vera Simmons va cobrando un tono alarmante ante la ausencia de mi respuesta. Yo trato de decir algo, pero solo jadeo y emito sonidos inconexos. Trato de recomponerme, pero solo alcanzo a responder con un sí o un no.

—Guillermo, trata de respirar lento y profundo —indica Simmons y la escucho también hacer ella misma las respiraciones para que yo la siga.

—Estás teniendo un ataque de pánico —agrega—. Vas a estar bien. Solo respira. ¿Estás en la comisaría?

—No.

—¿Estás cerca?

—Sí —afirmo.

Una señora que vende cigarrillos se me acerca, preocupada. Yo le doy el celular y hago señas con la otra mano. Ella atiende y comienza a hablar con Vera.

—La mujer dice que ya viene —afirma la señora—. Que espere aquí. Ella no demora.

Momentos más tarde, cuando llega la fiscal, todavía me siento fatal. Pero la parte más crítica ya ha pasado. Ella me ve sentado en el suelo y apura un poco el paso, para después ayudarme a ponerme de pie junto con la vendedora.

—Qué susto me dio, inspector —manifiesta la fiscal mientras me da una palmada en el pecho, con una expresión tierna en el rostro.

—No sé qué pasó —miento.

—¿Algo referente a su investigación? —pregunta.

—No. Personal —respondo todavía retomando el aliento.

—Pues ya está recuperando el color.

Sonríe al decir lo último y posa la palma de su mano un instante en mi frente, como si fuera un niño enfermo. Hace mucho que no veo a alguien mostrar tanta preocupación por mí. Quizá solo a mi compañera Castillo cuando recién volvía al ruedo como inspector y tenía ataques de abstinencia si dejaba de consumir por mucho tiempo.

Quedamos en silencio por un momento que parece intolerable, como si la falta de palabras pudiera revelar algo que estas no podían por sí mismas.

—Decía que estaba asustada —retoma ella entonces— por algo que acaba de ocurrir.

—¿Qué ha pasado?

—Demetrio Bonilla, lo encontraron muerto en la celda donde permanecía bajo custodia.

—¿Cómo murió? —pregunto intrigado.

—Ahorcado. Todo indica suicidio, pero todas las circunstancias son extrañas.

—¿Como qué?

—La grabación de la cámara de seguridad ha sido borrada justo en el lapso en que creemos ocurrió el hecho. También el día de hoy le había sido asignado un compañero de celda. Un tipo grande y musculoso.

Acompaño a la fiscal a su auto. El sol pega con fuerza.

—Esto lo complica todo —explica Vera—. Se suponía que en un par de días comenzaría el proceso en los tribunales. Esperábamos que él delatara a alguien importante.

Yo recuerdo el nerviosismo de Bonilla durante el interrogatorio.

—¿Saben algo del compañero de celda? —pregunto.

—Un camionero. Fue aprehendido transportando cocaína.

—Me parece que el intendente Lander mencionó algo sobre que Bonilla ya tenía un puesto en el mismo departamento, en la administración anterior.

—Entiendo que era un asistente.

—¿Y antes de eso? —indago.

—Un obrero que fue escalando en el sindicato. Trabajó en una empresa privada antes de pasar a la administración pública.

—¿Construcción?

—Exacto.

Llegamos al auto de Vera. Me pregunta un par de veces si ya me encuentro bien. Y, en efecto, me encuentro mucho mejor. Lo suficiente como para ir a la comisaría por mi auto e irme a casa.

La fiscal parte. En una tienda de electrodomésticos, varios televisores transmiten un avance de noticia en el que se informa del suicidio de Bonilla.

13

¿DE DÓNDE CONOCÍAS A LINDA AMATISTA?

UNA RETAHÍLA de disparos de rifle rompe el silencio del cementerio donde se lleva a cabo el entierro de Linda Amatista. El cuerpo policial de Olivares viste su mejor uniforme para rendir honores a la oficial.

Entre los presentes también está Henry Parra. Su aspecto me desconcierta porque su tristeza parece bastante genuina. Cada vez que pienso en la investigación me lleno de ansiedad e impaciencia. Esto no me había pasado antes en mi carrera. No así. Estoy desesperado por ver señales sospechosas, signos de culpabilidad. Imagino que Castillo estará peor.

Muevo mi codo para llamar la atención de mi compañera. Hay un tipo corpulento bajo un árbol a unos cuantos metros de distancia. Mira en esta dirección. Aneth voltea, asintiendo. Debe ser el hombre con quien se veía Amatista. Desde aquí, parece con la suficiente fuerza como para llevar a cabo lo que la víctima tuvo que padecer. Además, su aspecto es el de alguien que prefiere estar solo, alguien con quien no quieres tener problemas.

Cuando la ceremonia termina, el tipo comienza a retirarse. Apenas se percata de esto, Castillo quiere hablar con él, sola. No pienso permitirlo de ninguna manera.

Lo alcanzamos ya fuera del cementerio. Aneth es la primera en interpelarlo.

—Caballero —dice mientras muestra su placa—. ¿Nos puede dar un par de minutos?

El hombre hace una cara de fastidio, pero se detiene. Nos mira a ambos.

—¿Qué quieren? —dice con disgusto.

—¿Conocía a la oficial Linda Amatista? —pregunto.

—¿No tienen nada mejor que hacer? —responde—. ¿No deberían buscar al responsable?

El matiz de amargura en su voz me descolocó un poco.

—Eso hacemos, grandulón —replica Aneth—. Dinos, ¿de dónde conocías a Linda?

—Iba a entrenar al mismo gimnasio donde trabajo —responde.

—¿Body Plus? —pregunto yo.

—Sí —confirma él, lacónico.

—¿Eran muy cercanos? ¿Tú y Linda? —retomó Castillo.

—Escuchen, si me van a acusar de algo, o si me piensan llevar bajo custodia, háganlo ya.

—Solo queremos hablar, amigo —aclaré.

Pongo una mano sobre el hombro del sujeto, pero en un instante se la sacude, toma mi muñeca dispuesto a continuar el movimiento para hacerme alguna torsión, pero se contiene. No por un llamado de consciencia, creo, sino porque escucha el arma de mi compañera, quien no demora en apuntarle.

—¿Por qué no te tranquilizas, «amigo»? —advierte Aneth.

—No soy su amigo, inspectora —responde él, retomando su postura, sin sobresalto alguno.

Tengo que interceder.

—¿Nos puedes mostrar tu identificación, fortachón? —solicito.

El hombre saca su billetera, la abre y me la entrega. Miro el documento.

—«Orlando Paz» —leo en voz alta—. ¿Te molesta si tomo una de estas?

Me refería a una tarjeta que había visto en otra parte de la billetera. Una tarjeta del gimnasio.

—Ya la tienes, abuelo —me dice.

Se la devuelvo y el tipo retoma su camino sin ningún tipo de reparo, ningún viso de haberse sentido intimidado o amenazado por nuestra presencia. Escucho a Castillo soltar para sí un insulto.

Mi instinto me dice que es mejor dejarlo ir por ahora. Lo ocurrido es suficiente para saber el tipo de persona que es, alguien a quien el miedo no paraliza, sino que vuelve más forajido.

Sin duda, un hombre capaz de matar si es necesario.

14

ESTÁN AFUERA, GUILLERMO

—No entiendo cómo los chicos de ahora van así —dice Hilario Cota, refiriéndose a un par de muchachos que cruzan la calle con brazos tatuados, el cabello pintado y cortes de pelo extravagantes.

Estoy de vuelta en El Palmar, vigilando el sitio de construcción donde trabaja Parra. Hubiera preferido buscar a Orlando Paz. Pero Castillo me ha pedido que la espere. Tiene una visita de la asistenta social. Por eso he tenido que traer a Cota conmigo.

—Todos quieren aparentar que han cumplido condena —le respondo—. Mira.

Parra está saliendo del sitio y caminando en dirección a un estacionamiento. Cota enciende su auto y comienza a seguirlo a cierta distancia. Encontramos un espacio para detenernos afuera, mientras, Parra busca su auto. Yo me bajo para identificar cuál es. Es una camioneta picop. No un modelo viejo. Parece bastante costosa.

Seguimos a Parra hasta el distrito de Olivares. No por las partes más visitadas, sin embargo. Se detiene en un pequeño complejo de tres edificaciones que tanto yo como Cota desconocemos. No lo identifica ningún aviso. Con todo, Hilario logra dar con información a través de la dirección del lugar. Resulta que pertenece al sindicato de obreros.

Parra permanece allí un par de horas. Luego sale molesto por algo. «¿En qué está metido este hombrecillo?», pienso.

Se monta en su auto y continúa en el mismo canal en el que habíamos llegado. Lo seguimos por unas tres o cuatro calles, a través de edificios grisáceos y de fachadas descuidadas. Llegando a una esquina, advierto un espacio abierto, ya no ocupado por edificios de cinco pisos o más, sino por una edificación de dos plantas. En lo que parece la entrada principal, veo una valla que lo identifica. «Body Plus», dice.

—Detén el auto, Cota —le ordeno.

—¿Qué sucede, jefe Goya?

—Creo que este es el sitio donde trabaja Orlando Paz.

—¿Nos bajamos?

—¿Puedes averiguar si hay más sucursales o es el único establecimiento?

—Un segundo.

Miro personas entrar y salir del lugar. Tiene una concurrencia considerable. Se puede ver parte del interior, pues la fachada está hecha de ventanales grandes.

—Es la única —confirma Hilario.

—Bien —digo.

Hilario entra al estacionamiento del gimnasio. Cuando estaciona el auto, recibo una llamada.

Es Silvia:

—Están afuera, Guillermo.

15

UNA COLT 45 APUNTA A GOYA

SIN DUDARLO le pido a Hilario que conduzca hacia la casa de Silvia. Mi compañero conduce nervioso y sale del estacionamiento del gimnasio a toda prisa. Su frente brilla por la transpiración y tengo que confirmarle varias veces cada indicación que le doy. La situación que le he descrito no le gusta para nada.

—No estoy entrenado para este tipo de acciones, Goya —me dice.

Cota es la clase de tipo que le gusta tener su día planeado minuciosamente y que prefiere el trabajo en una sala, entre libros y con una computadora. Si no, que los sujetos de estudio no estén con vida y en capacidad de causar daño.

—Solo tenemos que acercarnos un poco —le aseguro—. Quiero evaluar la gravedad de la situación. Si es algo realmente preocupante, pedimos refuerzos. Nos mantenemos afuera.

Acepta, nada convencido de mi plan, pero sabe que pasar por la comisaría nos quitaría tiempo del que no disponemos.

Silvia vive en un pequeño edificio frente a un parque, en

una urbanización cercana al Centro. Cuando ya nos acercamos al parque, puedo ver un furgón negro no muy lejos de la entrada del edificio de Silvia.

Nos orillamos a media calle del parque. Le digo a Cota que me espere en el auto.

Todavía lo puedo escuchar renegando cuando voy por la esquina, antes de cruzar la calle. El día transcurre como cualquier otro. Ancianos sentados en los bancos. Parejas de estudiantes y enamorados. Y mi presencia torpe y andrajosa.

Quiero saber cuántos hay en el furgón. Las ventanas del piloto y copiloto están abajo. Aunque no alcanzo a especificar la apariencia de los sujetos, me parece claro que son solo dos. Y no estudiantes. Ambos miran en dirección a la entrada del edificio de Silvia.

Vuelvo al auto de Hilario. Se me ha ocurrido una idea.

—¿Se volvió loco, jefe Goya? —me increpa.

—Solo tienes que distraerlos un momento —le digo—. Preguntarles una dirección. Con eso basta. El punto es que no me vean llegar por el otro lado.

Hilario mueve un poco la cabeza, de un lado a otro, como cuando el cajero automático se queda sin efectivo justo en tu turno.

—Maldita sea —dice y sale del auto.

Le pido a Hilario que se acerque a ellos de frente, como si estuviera perdido. Que lo vean llegar y que se acerque por la puerta del piloto. Yo estaría en la esquina opuesta del parque y me acercaría desde la dirección contraria.

—Tranquilo, vas a hacerlo bien —le digo, antes de separarnos en el parque.

Espero a que Hilario me lleve cierta delantera, para que llegue primero al furgón. Cuando él cruza la esquina hacia el vehículo, yo estoy a media cuadra y acelero el paso. La última imagen que tengo del copiloto es la parte de atrás de su cabeza, pues ha volteado en dirección de Cota. Me apresuro entonces y me aparezco por la puerta del copiloto.

—Buenas tardes, caballeros —digo, apuntando con mi arma.

Ambos llevan gafas oscuras. El piloto tiene un corte de cabello tipo *mullet* y la nariz larga. El otro lleva el cabello rapado y por el costado del cuello se asoma un tatuaje. Los dos se ven bastante fuertes.

—Soy el inspector Guillermo Goya —digo, mostrando mi placa con la otra mano—. ¿Serían tan amables de mostrarme su identificación y los documentos del vehículo?

Los tipos suben las manos como pidiendo calma.

—Claro, inspector —dice el copiloto y ambos hacen el ademán de buscar sus billeteras.

—¿Qué están haciendo aquí? —pregunto.

—No hace falta que nos apunte, oficial —dice el piloto.

Por un instante les quito los ojos de encima para mirar a Cota. Está nervioso. No bien he advertido esto cuando escucho un chasquido y veo los seguros de las puertas levantarse. Mis ojos se abren más de lo que están y me dispongo a gritar una advertencia, pero la puerta del copiloto se abre con mucha más velocidad de la que puedo procesar, me golpea muy fuerte en las manos, mandando mi arma reglamentaria por los aires. Cierro los ojos por una fracción de segundo, pues el golpe de la puerta me produce un dolor intenso. En la oscuridad escucho un grito de Hilario Cota. Cuando abro los ojos, ya no lo veo del otro lado. El sujeto cercano a mí ya ha cerrado la puerta y escucho el motor del furgón encenderse. Aún así, tomo al copiloto por el saco que lleva puesto. Estamos forcejeando cuando siento que me quitan el piso de los pies. Sin embargo, alcanzo a dar un pequeño brinco y me prendo del brazo del copiloto, mi único sostén, pues mis pies se deslizan por la puerta sin conseguir apoyo. Puedo sentir la velocidad aumentar vertiginosamente. Escucho gritos de su compañero, gruñidos del tipo del cual me sostengo, a pesar de lo cual no tiene mucho problema en alzarme y golpearme contra los bordes de la puerta. Escucho entonces un sonido metálico. Trato de mantener los ojos abiertos para mantenerme al tanto de este desastre, mientras me estrellan contra el borde superior de la puerta. Enseguida me doy cuenta de que tengo todas las de perder. Y a este momento de conciencia lo acompaña la visión de una Colt calibre cuarenta y cinco, apuntándome justo entre los ojos.

A la velocidad que va el furgón, la posibilidad de morir si me suelto no es muy grande. Pero si permanezco un instante más luchando con el cabeza rapada, la muerte es segura.

Cierro los ojos entonces.

Y me dejo caer.

16

UNA MUJER MUERTA EN UN CALLEJÓN

El apartamento de Silvia tiene cierto parecido a nuestro viejo apartamento. Pienso esto en medio de un dolor agudo. Un paramédico vuelve a colocar en su lugar un hueso fracturado de uno de mis dedos. Gruño con fuerza, forzándome a mantener la boca cerrada. Miro hacia un lado y veo a Hilario sentado en una silla, tiene la vista en el techo, sosteniendo una gaza bajo las fosas nasales, de donde corre sangre. En el fondo está Silvia, de brazos cruzados, sacudiendo la cabeza, desaprobando cada elemento que compone toda esta escena en la que se ha visto envuelta. Cuando nuestros ojos se encuentran, me quita la vista y camina por la sala.

Supongo que no podía ser de otra forma, que mi exmujer me mire con desprecio al verme por primera vez después de todos estos años.

El paramédico mueve uno de mis tobillos y suelto un gemido. Me parece que tengo el rostro hinchado, al igual que uno de mis antebrazos. No solo puedo distinguir el sabor metálico de la sangre en mi boca, también puedo olerlo.

Escucho la puerta de la entrada abrirse. Es Laura.

—Se me escaparon de las manos —le digo, aunque las palabras apenas logran articularse.

Laura suspira porque soy un viejo sin remedio. Posa su mano en mi cabello un momento, muy por encima, para no lastimarme. Luego se acerca a Silvia. La escucho decir que por esta razón no quería que me contactara: «Es como hace veinte años. Otra vez».

Como si ya no tuviera más opción, mi exesposa se acerca a mí.

—Me había jurado no pasar por este tipo de cosas nunca más, Guillermo.

—Lo siento, Silvia.

—Sí, sí…

—No sé quiénes son estos tipos. Pero debes tener cuidado.

Ella seguía de brazos cruzados. Miraba hacia el suelo y asentía.

—Al menos podemos hacer un retrato hablado, jefe Goya —dice Hilario, su voz como si sonara a través de un teléfono viejo.

Tiene razón. El furgón no llevaba placas, por lo que un rastreo por esa vía es imposible. Pero con los retratos al menos se puede emitir una orden de captura.

Los paramédicos me informan que deben llevarme al hospital. Tengo un esguince en un tobillo y una fractura en uno de los dedos de la mano izquierda. Hay que inmovilizar ambos. Silvia se ha encerrado en su cuarto. Laura nos despide.

Debe ser que no he experimentado tantos sobresaltos en algún tiempo. Cuando la llamada de Castillo me despierta en la madrugada, me parece que me levanto gritando. En mi mente hay una mezcla de imágenes perturbadoras compuestas por el episodio que he sufrido en la tarde, mis recuerdos sobre la muerte de mi antiguo compañero, Marcelo Pérez, y un inusual temor sobre el bienestar de Aneth.

Estoy empapado de sudor.

Han encontrado a una mujer muerta en el callejón trasero de un club nocturno, me informa mi compañera.

También era policía.

17

LA CONFESIÓN DE ORLANDO PAZ

El cuerpo ha sido encontrado por un par de amigas que estaban de fiesta y se habían pasado de tragos. Al salir de la discoteca, una de ellas sintió que iba a vomitar todo lo que se había bebido y la otra fue a ayudarla para que aquello no se volviera un desastre.

Cuando estaban en un depósito de basura encontraron a una mujer sin vida, desnuda y muy maltratada. Entonces ambas se sintieron indispuestas.

—Tienes que admitir que debió haber sido chistoso —le digo a Castillo.

—Por eso estás hecho una mierda —sentencia, reprochando mi falta de sensibilidad y aludiendo a mi aspecto magullado.

Estamos en el distrito turístico de El Amparo. En una zona que se ha vuelto el centro de la vida nocturna de la ciudad. La calle es un desorden de música saliendo de discotecas y gente caminando y bromeando.

Cuando llegamos, ya Hilario está en la escena.

—El nombre de la víctima es Sara Rondón —informa Cota—. Era patrullera del distrito de El Palmar.

Por suerte, es un día laborable y no hay la cantidad de gente usual. Con todo, se requiere de una patrulla para cercar la escena y mantener a los curiosos a raya.

—Todo es muy parecido al caso de Amatista —afirma Hilario—. Hasta encontramos enganchadas unas esposas.

—Es el mismo tipo —digo sin pensar.

—O los mismos —añade Aneth—. Quizá los mismos que les hicieron esto.

Hilario y yo nos miramos. Ninguno habíamos pensado en eso. En la superficie, nos parece una idea ridícula. Acaso solo por lo inquietante de las implicaciones.

—¿Qué tiempo ha pasado desde que la encontraron? —pregunto a Cota.

—Alrededor de una hora —responde él.

Me dispongo a entrar en el callejón. Echo un vistazo hacia atrás para asegurarme de que Castillo me sigue.

—No me jodas —la escucho decir, alargando un poco las palabras, mientras observa en dirección al otro lado de la calle.

Desde donde estoy no puedo ver qué es lo que ella ha visto. Me lo impiden una patrulla y un grupo de curiosos. Creí que ya había tenido suficientes sobresaltos en las últimas horas, pero las circunstancias todavía me deparan una pequeña sorpresa más.

Del otro lado de la calle, un par de discotecas más allá, con una pinta muy intimidante se planta Orlando Paz, controlando el acceso al lugar.

Avanzamos hacia él, escuchando los reclamos de Hilario desvanecerse entre el zumbido de la música y las risas de la gente. Es cierto, todavía ni siquiera hemos visto la escena. Pero hay tiempo. La conjugación de todos los elementos no parece fortuita para nada y tanto Castillo como yo lo sabemos.

—Eras la última persona que esperábamos encontrar acá, amigo —anuncia Aneth, haciendo énfasis en la palabra «amigo».

Paz mira hacia los lados, incapaz de ocultar el fastidio y la incomodidad, pero no nos responde nada. Frente a él hay una chica con un portapapeles en la mano, quien lo mira extrañada. Una compañera de trabajo, por descontado. Le pregunta algo y el grandulón la tranquiliza con un gesto y un par de palabras.

Hay una cola considerable de gente. Clase alta. Mucho dinero. La mayoría eran jóvenes, pero también algunos adultos que pasaban los cuarenta.

—Necesitamos hablar contigo, grandulón —digo yo, tratando de sonar lo más amigable posible.

Orlando se asoma al interior del establecimiento. En breve, otro tipo fornido lo remplaza. Paz se acerca a nosotros.

—Veo que no la está pasando bien, inspector —me dice, refiriéndose a mi aspecto maltratado.

—No nos dijiste que también eras portero en este lugar —agrega Aneth.

—Pareciera que tienen cosas más importantes que hacer, inspectores —dice moviendo la cabeza en dirección a la escena del crimen.

—¿A qué hora llegó aquí, Paz? —interrogo.

—Llegué aquí hace bastante rato, oficiales.

—Dinos una hora, fortachón —exige mi compañera.

—¿Realmente creen que yo tuve que ver algo con eso? —espeta el hombre.

—¿Dinos dónde estabas hace una hora, Paz? —reclamo, alzando la voz, con mi paciencia a punto de colmarse.

—Estaba aquí donde lo ven, oficiales —indica la chica de

hace un rato, quien ahora reaparecía a su lado—. ¿Hay algún problema?

—¿Algún otro compañero puede corroborar lo que dices? —le pregunta Castillo.

—Claro. Todos los que trabajamos aquí. Al llegar dejamos nuestras cosas en unos casilleros en el cuarto de empleados. Todos vimos a Orlando llegar a eso de las diez.

—¿Qué hay del callejón allá atrás? —indago—. ¿Algún movimiento extraño?

—Pasan vehículos y personas con frecuencia —indica Paz, quien parece más tranquilo.

—No es el paso más transitado, pero no es raro que lo usen —explica su compañera.

—¿Desde cuándo te veías con la oficial Linda Amatista? —pregunta Aneth, mirando a Paz, pero esta vez con otra actitud.

Veo el entrecejo del hombre distenderse. Algo en la voz o el rostro de mi compañera parece resonar en él. Le pide a la chica que vuelva al portón, que todo está bien.

—Quizá algo más de dos meses —responde al fin, evadiendo la mirada—. Pero nos hicimos amigos antes.

—Pero ella ya tenía una relación con alguien —objeto.

—Estaba a punto de terminarla —indica él.

—Cuando Henry Parra los encontró juntos —replica Castillo.

Paz se lleva las manos a la cintura, mirando hacia un lado, con una sonrisa sardónica en la cara.

—Bien —dice, conteniéndose—. Eso sucedió, pero Linda pensaba hacerlo de todas maneras. Es a Parra a quien deberían investigar.

—Yo creo que tú estabas celoso, grandulón —argumenta mi compañera—. Creo que Linda pensaba volver con Parra y a ti no te gustó la idea.

—Yo no maté a Linda, inspectora. Y creo que usted sabe que estaba muy por encima de ese idiota… Todo estaba ocurriendo muy rápido entre nosotros, pero nos queríamos. Es su muerte lo que me ha llenado de ira. No me interesa si pensaba seguir conmigo o no. Era una mujer increíble. Nunca conoceré a nadie como ella. Y pensar que ya no está con nosotros me parece una puta injusticia.

Los ruidos de la noche citadina cobran otro sentido con el silencio que sigue a las palabras de Paz.

18

¿DÓNDE ESTÁ VALERIA?

El encuentro de esa madrugada con Orlando Paz seguía orbitando en la mente de Aneth Castillo mientras jugaba con su hija en un parque. Hubiera deseado percibir engaño y malicia en la voz del sospechoso. Y aunque le fue difícil identificar alguna otra cosa más que irritación, lo último que él dijo lo hubiera podido decir ella misma, no solo por las palabras, sino por la tímida melancolía con que fueron pronunciadas.

Valeria hacía figuras en la tierra con un palito. A veces levantaba la vista y miraba a otros niños jugar.

La actitud que mostró Paz le sugería que no podía ser el culpable. Pero quizá otros, queriendo herirlo a él, se desquitaron con su amiga. Sin embargo, Orlando se daba aires de tipo solitario, con pocas alianzas, que no necesita la validación de nadie.

Los niños a los que veía Valeria se han acercado. Ella empieza a jugar con ellos. Corren, se persiguen unos a otros.

—Una mujer que no necesita sentirse validada por nada ni nadie —le dijo una vez Amatista— es la más libre.

Atardecía y ambas descansaban sobre las gradas frente a

una cancha deportiva, después de un día agotador en la academia.

—¿Pero ser policía no es lo contrario? —cuestionó Aneth.

Amatista volteó a mirarla con gusto, como si hubiera hecho una jugada inesperada.

—Tampoco cualquier mujer puede ser policía —argumentó Linda.

Aneth asintió, mirando a la cancha, los brazos cruzados, los codos apoyados sobre las rodillas.

—Una siempre necesitará sentir la aprobación de alguien o algo —concluyó Linda—. Pero si uno lo elige, si uno lo hace voluntariamente…

—Entonces tiene sentido.

Callaron un momento, satisfechas, algo sorprendidas de haber arribado a algún tipo de conclusión sobre la vida, que entonces parecía algo vasta y llena de promesas pintorescas. Aneth no recordaba haber podido conversar con alguien, que no fuera su padre, sobre cuestiones que le inquietaban y que no tenían que ver necesariamente con fiestas.

¿Dónde estaba Valeria?

No la veía corriendo con los otros niños. Aneth empezó a llamarla, intentando no alarmarse. Miraba alrededor, pero era incapaz de ubicarla. De pronto le parecía abrumadora la cantidad de gente. Pensó en Orlando Paz y Henry Parra. Alguno se había metido en negocios con gente peligrosa y sabían que ella estaba tras su pista. Y ahora Castillo se convertía en un objetivo para ellos.

Aneth se movía por el parque, gritando el nombre de su hija, sintiendo su corazón golpear con fuerza, el sudor empezando a cubrir su frente y sus manos.

—Mamá —la llamaron de repente y luego sintió un pequeño tirón desde la parte inferior de su saco.

Allí estaba Valeria. Aneth la cargó, soltando un suspiro, y la estrechó con alivio.

—Me asustaste —le dijo.

—Soy policía como tú, mamá —replicó la niña.

Reparó nuevamente en su hija, extrañada. En sus manos, la pequeña cargaba unas esposas que, de seguro, no le pertenecían a la inspectora.

19

GOYA Y EL BOXEO

Le gente me mira extrañada cuando entro al gimnasio Body Plus. No tengo el aspecto de uno que frecuente el lugar. Camino con una muleta y una férula en la mano. Raspones en mi rostro. Una curita en un costado de mi frente. He dormido casi todo el día. Llevo pantalones oscuros de tela delgada, una camisa suelta y una gorra de béisbol apenas ceñida a mi cabeza.

En la recepción pregunto por algún instructor. La chica hace un gesto de incomprensión y me señala a un par de veinteañeros al fondo del establecimiento.

Me presento como un tipo que por fin se ha separado de una esposa que le hacía la vida imposible y que quiere darle un vuelco a su existencia. Me muestran el lugar. La planta de abajo tiene un área de máquinas y pesas, y otra con sacos y peras de boxeo, hasta con un cuadrilátero. Me invitan a mirar la segunda planta, donde tienen cintas de correr y bicicletas, pero les digo que me interesaría trabajar con las máquinas y aprender box.

Los sujetos se sonríen. Tratan de disimular la gracia que

les causa alguien con mi apariencia expresando tales propósitos. Idiotas.

—Entonces lo mejor sería que entrenes con Orlando —dice uno.

—Si crees que nosotros estamos en forma —dice otro—, Orlando te impresionaría. Es el más grande de todos.

—¿Es boxeador? —pregunto.

—Fue luchador de artes marciales mixtas. Así que definitivamente te puede ayudar a ponerte en forma con rutinas de box.

—No viene los martes ni los jueves, eso sí.

—Volveré mañana entonces —les digo.

—Mejor debería esperar a que se termine de recuperar —replica uno, disimulando muy mal la risa.

Al salir del gimnasio Body Plus recibo una llamada de Hilario Cota. Ha estado investigando sobre el sindicato de obreros, pero no ha encontrado nada que le parezca relevante. Igual le pido que me dé algunos datos. Al parecer, últimamente han estado muy vinculados con la empresa Terra, que trabaja con materiales de construcción. El presidente de la empresa, Aníbal Aristegui, ha apoyado de forma abierta los derechos y llamados a huelga de los obreros en la capital.

Intento comunicarme con Castillo, pero no tengo éxito.

Vuelvo a llamar a Cota y le pido que me busque la dirección del domicilio de Paz. Me invade un hambre voraz y busco cerca un lugar de comida. Consigo una hamburguesería. Pido una con tocino, queso amarillo y papas francesas. Para beber, una gaseosa de jengibre. Cada bocado me proporciona una satisfacción inusual. Me siento contento, carente de irritación o remordimientos. Vuelvo a recibir una llamada de Cota. La dirección que me proporciona no está muy lejana de donde estoy.

Dejo la hamburguesa sin terminar. Me urge hablar con

Paz. He recordado algo que ha dicho en la madrugada. Algo sobre investigar a Parra.

~

Orlando vive en un edificio pequeño. No se encuentra en su apartamento, según me informa una vecina que me ha escuchado un rato tocando a su puerta y el timbre. Le pregunto si lo conoce. Me dice que sí, que lleva años viviendo allí. Que le contenta que ya no viva de las peleas. Que, a pesar de su apariencia, es una persona muy noble que goza de la estima de los vecinos del edificio.

Cuando termino de hablar con la señora, me doy cuenta de que ya ha empezado a anochecer. Decido comer algo antes de volver al club nocturno donde trabaja Paz. Me encuentro algo agotado. Desplazarme me resulta muy molesto, pero solo imaginarme quedándome quieto me crispa de ansiedad.

Me he tenido que desplazar en taxi. Así que vuelvo a pedir uno que me deje cerca de la discoteca. Llegando, le pido al conductor que se detenga en un restaurante de comida china que he advertido. Ahí pido unos tallarines con lomo saltado.

Termino, pues, y me acerco a la discoteca. Echo un vistazo a cierta distancia, busco ubicarlo por la entrada, pero no lo veo. En breve, una mano se posa sobre mi hombro.

—¿Me buscaba? —dice Paz.

20

EL AMANTE DE LINDA AMATISTA

MUCHO TIEMPO después alguien cercano a Orlando Paz me comentó que este sabía muy bien lo que era el desprecio. Lo había sentido desde chico cada vez que acompañaba a su madre a tocar puertas en casas grandes, buscando trabajo, haciendo limpieza o cocinando. Luego, cuando estuvo un tiempo viviendo en la calle, cada vez que pedía dinero a las afueras de un centro comercial, antes de que un tío lo adoptara. Su madre había muerto de cáncer y su padre, mucho antes, a manos de unos criminales.

Ese tío fue entrenador de boxeo y le enseñó a defenderse, a hacerse respetar. Pero para ello primero debía tener amor propio y respetarse a sí mismo. Así, mas tarde, lograría una modesta carrera como luchador en los circuitos nacionales de artes marciales mixtas. Tenía poco, pero ese poco lo había ganado con su propio esfuerzo, desde cero.

De ahí su aversión a los policías. En especial a los inspectores como yo, que fácilmente pasamos por arrogantes y sabelotodo.

—Sé que no te agradamos, Orlando —admito después de

apartarnos un poco del bullicio de la calle—. Y no creo que seas el culpable de la muerte de Amatista. Pero si realmente quieres que se haga justicia, tienes que ayudarme.

Me lanza una mirada sardónica, como quien escucha a un viejo político y respira profundo.

—La última vez que vi a Linda quedé un poco disgustado. No peleamos. Pero me dijo que quería tomarse unos días sola.

—¿Quería repensar la relación?

—Eso pensé. Pero me aseguró que no y le creí. Todavía lo creo. Aun así, no me quiso decir qué la tenía tan contrariada. Eso fue lo que me dejó un mal sabor. Tenía algún tipo de problema y no me dejaría ayudarla.

—¿Mencionó algo fuera de lo ordinario?

Orlando mira el suelo, haciendo memoria. Luego asiente con lentitud.

—Puede no ser nada, pero un día caminábamos por la avenida principal de El Palmar. Henry todavía tenía una copia de llaves del apartamento de Linda y ya había quedado en buscarlas en donde él estaba trabajando. Yo he caminado pocas veces por ese distrito. Vi unos edificios que me impresionaron y luego pensé en que de seguro tendría un dueño. Una persona con tanto dinero como para poseer un edificio así. Le mencioné esto a Linda, solo un comentario intrascendente. Luego, bromeando, le pregunté si no quería tener un edificio igual y ella me respondió que no quería tener más problemas con Aníbal Aristegui.

—¿Aníbal Aristegui?

—Pregunté lo mismo, pero se rio y luego me empezó a hablar de otra cosa. Era una conversación muy superficial y no le presté atención. Pensando sobre ello ahora, me parece que Linda no era el tipo de persona que soltara nombres a la ligera.

—¿Por qué te parece que deberíamos investigar a Henry Parra? Eso dijiste la última vez que hablamos.

—Lo he visto en varias ocasiones aquí.

—¿Y qué tiene eso de sospechoso?

—Aquí llegan sujetos poderosos, Goya. Yo trato de mantenerme al margen. Pero los veo llegar en autos deportivos último modelo. Visten ropas que solo se ven en El Palmar o en Villablanca. Llegan con mujeres que, a juzgar por su aspecto, están con ellos solo por el dinero. Me dicen que los deje pasar directamente, sin hacer preguntas. Van directo a la zona vip.

—¿Y Henry Parra está entre ellos?

—Solo lo he visto un par de veces. Llega aparte. Está un rato y luego se va. La primera vez todavía no había nada entre Linda y yo. No sabía que era su pareja. La segunda ya lo había ubicado. Pero todavía no había ocurrido nuestro percance. Esa vez lo vi con el tipo que apareció hace poco en las noticias. Uno que se ahorcó en su celda.

—¿Demetrio Bonilla?

—Ese.

21

UNA MUJER LLAMADA NENA

UNA VEZ, una mujer se enamoró de un hombre que había decidido tomar las riendas de su vida sin importar el costo. La determinación que mostraba para lograr su meta la deslumbró y enseguida aquel hombre la hipnotizó, acaso porque ella misma se hallaba en un punto bajo de su vida, desencantada de sus propios sueños, frustrada con su propia existencia en un pueblo olvidado, con una familia que nunca quiso en realidad. Era como si el destino le hubiera dado algo que no había pedido y que no le interesaba. Y, sin embargo, albergaba el deseo de algo más.

¿Y por qué no iba a merecerlo? Nena —como la llamaba cariñosamente su amante— sabía que era una mujer valiente y audaz. Quizá esa fuera la razón por la cual el hombre posó los ojos sobre ella, descubriendo así también un atractivo insospechado.

Nena era policía y el hombre comenzaba a liderar una mafia a través de fachadas empresariales.

Así, nació un idilio entre ambos, alimentado por el poder que el hombre iba acumulando, la excitación de estar al margen de la ley y, no menos importante, el encontrarse los dos en la flor de su madurez, superada la primera juventud, pero todavía con un futuro fecundo en promesas.

Pero como nada es para siempre, tuvo lugar el inevitable descuido producto de la confianza ingenua, el error a partir del cual no hay vuelta atrás.

Las circunstancias presentaron al hombre una elección odiosa: o bien él mismo caía bajo el yugo de la ley, o bien delataba a la oficial, su Nena, fuente de placeres inusitados y abundantes, mientras él salía ileso. Por esta vez.

Aunque odiosa, la decisión no le fue difícil de tomar. La resolución asumida antes de involucrarse con ella simplificaba mucho su vida. Solo le importaba el poder y la familia.

Cada ser humano es distinto. A la mayoría nos afectan las mismas cosas. Lo que suele variar es la forma como reaccionamos a ellas. Y, muchas veces, en esa distinción se separan el ciudadano sensible y empático del criminal.

Nena se enteró a tiempo de la traición y logró evitar que los lacayos de quien consideraba su gran amor acabaran con ella.

Entonces, juró venganza.

22

LA INFORMACIÓN DE LA FISCAL

DE TODAS LAS cosas que habían significado un problema a lo largo de la vida de Vera Simmons, la falta de atención nunca fue una.

Veo en ella una mujer que desde muy temprano se dio cuenta de que no le costaba mucho hacer amistades, o que las personas cobren interés en ella. Es evidente que es gracias a su belleza y su carisma. ¿Cómo llegó a ser una reconocida y talentosa fiscal? ¿Fue solo con el encanto? Quizá un buen día entendió que ganar interés y afecto, a sola cuenta del físico, era algo banal. Y con nada más que carisma, era manipulación. El día que hizo ese descubrimiento tomó la resolución de trabajar duro y que sus méritos fueran producto de su experiencia. No de su belleza o su encanto.

—¡Pero por Dios! —exclama al verme caminando con muletas y golpeado—. ¡Cada vez que te miro estás peor!

—Estoy bien —replico, levantando la otra mano para que no se moleste en ayudarme.

Me invita a sentarme en su oficina, en la Fiscalía de Villablanca.

—¿La investigación se está complicando?

—No. Un asunto personal —advierto.

Vera se mostró a la vez impactada y desconfiada.

—¿Te trataron de secuestrar? —pregunta resignada.

—No.

—No entiendo. ¿Trataste de actuar solo?

—Me cuesta contenerme a veces —digo después de soltar un suspiro.

Recuerdo toda aquella patética escena. Siento hambre, a pesar de que he comido hace poco.

—Oye, ¿estás bien?

Intento responder enseguida cualquier frase superficial que nos haga avanzar a lo que realmente quiero discutir. Pero no puedo. La melancolía me ha tomado de repente, además de una necesidad inesperada de ser sincero con ella.

—Me siento viejo —comento—. Irrelevante. No sé si vale la pena tanto esfuerzo por cambiar. Puedo convertir cualquier cosa en una adicción.

—Llevas ya unos años de haber vuelto a trabajar sin interrupciones. Eso cuenta —comenta ella.

Vera intenta tomar mi mano. No sé por qué, pero mi reacción es apartarla de repente, como quien toca una superficie caliente de manera inesperada.

—¡Lo siento! —exclama.

—Está bien. No sé qué me pasó. No quiero que pienses que…

—Estuvo fuera de lugar, pensé que quizá…

—Agradezco mucho tu simpatía —resuelvo y eso parece calmar todo.

—¡Los contratistas! —recuerda ella, de repente, y gira en su silla para abrir una gaveta—. Creo que te interesará lo que he encontrado.

Coloca varias carpetas sobre su escritorio, mostrándome algunos documentos en específico.

—Como puedes ver, varios de estos contratistas terminan trabajando de una forma u otra con la empresa Terra. El socio principal de esta es un hombre llamado Aníbal Aristegui.

Otra vez volvía a escuchar aquel nombre, primero por parte de Cota y luego de Paz. Pienso en la hipótesis de mi compañera, la de una mafia obrando detrás de la muerte de Linda Amatista y Yuli Obregoso.

—Y nuestro amigo Demetrio Bonilla —continúa Vera— trabajó con Terra antes de pasar a la administración pública, aquí en Villablanca. Lo curioso es que mi investigación parecía vincularlo con pagos de la constructora Pacífico a cambio de concesiones de obras.

—¿Pacífico iba a realizar obras en Villablanca?

—Varias. Quizá Bonilla ya había roto por completo con Terra.

—¿Y ahora las obras de Pacífico pasaron a Terra?

—Exactamente. Si Bonilla no se suicidó, Terra pudiera estar implicada.

—Según entiendo, ¿Bonilla confesó la eliminación de evidencia?

—Sí. Y aquí entre nosotros, Guillermo, su confesión me tomó por sorpresa.

—¿Por qué no se mantuvo a Pacífico en la contratación?

—Se hubiera visto terrible que la administración de Villablanca continuara trabajando con una empresa implicada en el escándalo de corrupción de funcionarios.

Me quedo observando a Vera. Había advertido algo en todo aquel enredo y quiero saber si ella se ha percatado de lo mismo.

—¡Oh! —musita, casi pensando en voz alta—. O sea que, en última instancia, la empresa que salió favorecida fue Terra, a raíz de la confesión de Bonilla.

—Quizá Bonilla nunca dejó de trabajar para Aníbal Aristegui.

23

UN HOMBRE QUE RESULTA CONOCIDO

SALGO de la Fiscalía de Villablanca. El día de hoy he decidido conducir. Aunque es algo incómodo y voy mucho más lento de lo usual, trasladarme llamando o buscando taxis me parece demasiado desesperante.

Hago el intento de llamar a Aneth varias veces para comentarle mis últimas pistas, pero no puedo contactarla. La noche anterior, después de mi entrevista con Orlando Paz, también intenté ubicarla, pero sin éxito.

Justo después que lanzo el teléfono, frustrado, reparo en un tipo que viene trotando por la acera a mi lado, pero en dirección opuesta. Me resulta conocido. El hombre parece reconocerme también porque va deteniendo el paso.

—¿Inspector? —pregunta, su rostro asomándose en la ventana del copiloto.

Es el hombre que me salvó de darle una paliza al borracho que nos importunó, a Vera y a mí, en la fiesta del alcalde. Lo saludo y me ofrezco a llevarlo hasta su casa.

—¿Está seguro, inspector? —objeta—. Con todo respeto, no parece muy cómodo.

—Conduzco a baja velocidad, pero sin problemas.

El hombre se sube y me agradece. Me pregunta lo sucedido y le cuento una versión muy corta. Se ríe.

—Usted va en serio —dice.

—No me queda más remedio.

—Me refiero a que mi madre me habló de usted unas veces, cuando era chico.

—¿Ah, sí? ¿Tengo el gusto de conocerla?

—Se llama Carlota Gutiérrez.

No pude disimular la sorpresa al darme cuenta de que era hijo de Rafael Lander, el intendente de Villablanca. Se llama Simón.

—¿No parezco hijo del intendente? —pregunta bromeando.

—No. No es eso. Solo que no me lo esperaba.

Llegamos al domicilio de los Lander. Le pregunto si el intendente se encuentra y me responde que no sabe, que si lo deseo puedo entrar con él. Acepto la invitación.

La residencia está protegida por un muro de algo más de dos metros. Hay una reja de acceso a la propiedad. Veo a una señora mayor de pie frente a la reja. Tiene una escoba en una de las manos y mira al suelo.

—Mi niño —le dice a Simón al saludarlo—. Ya regresaste.

—Nani —le responde—. ¿Qué es esto?

Simón mira un ave muerta en el suelo, que era lo que observaba la señora. Yo me presento y le pregunto si el intendente se encuentra. Me da una respuesta negativa.

—Si me disculpa, inspector Goya. Debo deshacerme de esto.

El hombre se va con el ave en las manos. Parece algo desanimado por la visión.

—Discúlpelo, inspector —anota la señora—. Es un hombre sensible.

Por un momento la mujer parece afligida, como si aquello le ocurriera con frecuencia a Lander.

—No hay por qué —observo—. ¿Es artista?

—No de carrera —me responde.

24

ANETH Y EL MOMENTO MÁS DIFÍCIL EN LA ACADEMIA

ANETH ESCRIBÍA apuntes en su libreta. Tenía pistas que seguir y el cansancio le hizo tomar un descanso. Pensó en su padre, la persona más noble que ha conocido, un ingeniero de Sancaré que se enamoró perdidamente de una artista, con quien intentó formar una familia lejos de la ciudad, y quien lo abandonaría, dejando como único recuerdo una niña algo callada y muy curiosa.

«Todo en la vida tiene ventajas y desventajas», solía decirle su padre cuando ella volvía del colegio y lo encontraba reparando autos, que fue como se terminó ganando la vida el viejo.

Haber tenido un padre que la amaba le trajo cosas buenas, por supuesto. Pero también sus contras. Aquello le había quedado claro después de cursar la primaria. Se le hacía más fácil hacer amistad con niños. Su sencillez, sus juegos orientados a lo concreto y material le parecían más entendibles que las conversaciones, las señas y los dobles sentidos que la abrumaban cuando se juntaba con grupos de niñas.

Quizá por esto mismo, años más tarde, cuando ya su

cuerpo empezaba a transformarse en el de una mujer, le afectó tanto el cambio en el trato de los hombres. O bien la despreciaban, por considerarla poco femenina, o bien se acercaban con una intención oculta. Y esto nunca fue tan doloroso como en la academia de Policía, cuando parecía convertirse en el objeto de odio de algún grupo de aspirantes hombres, o de instructores incluso.

Quizá el momento más difícil de su tránsito por la academia fue cuando ya hacía turnos de vigilancia en ciertos puntos de la ciudad, provista con nada más que un radiotransmisor y una porra. Era el último turno para cumplir con las horas obligatorias que le permitirían graduarse. Había sido asignada a una terminal de autobuses. Era un día muy solitario. La terminal ya había cerrado y estaba regresando a su casa. Un grupo de encapuchados se le acercó. Eran tres. Había algo forzado en el tono de voz con el que le hablaban. Ella cometió el error de pensar que eran indefensos, que solo querían asustarla, pero enseguida se dio cuenta de que tenían malas intenciones. Uno la empujó desde atrás y otro intentó sujetarla, pero logró derribarlo, aunque ella cayó de rodillas. Se percató de que ya le habían quitado la porra. Trató de comunicarse por el radio, pero el tercero le pateó la mano. Fue entonces cuando sintió aquel maldito miedo que paraliza, que te hace tartamudear. Ella había sido entrenada para este tipo de situaciones. Pero era como si todo se hubiera borrado de su memoria, dando lugar solo al miedo. Entonces sintió los golpes de los atacantes y que su intención era abusar de ella. Estaba gritando por ayuda, pero el tipo al que había derribado ahora le tapaba la boca y trataba de desvestirle el torso. Entonces escuchó el grito de otro hombre a la distancia, mayor que quienes la atacaban. Era un oficial de Policía. Los sujetos la soltaron y escaparon.

El oficial que había espantado a los atacantes la ayudó a

levantarse. Tuvo que hacer un gran esfuerzo para tranquilizarse un poco y contener la cascada de emociones que empezaba a emanar dentro de sí. El oficial se ofreció a llevarla a su casa. Estuvieron en silencio todo el trayecto. Cuando ya se iba a bajar de la patrulla, el hombre no le recomendó hacer una denuncia, no le preguntó si deseaba que la lleve a una comisaría. Solo le dijo que si se sentía abrumada por lo que acababa de vivir, quizá ser policía no era lo de ella. Que quizá tenía que reconsiderar sus planes.

Aneth todavía estaba en control de sus emociones, pero necesitaba hablar con alguien. Y la primera persona que pensó en llamar fue a Linda Amatista. Apenas le contestó, ella intentó relatarle pausadamente lo que le había ocurrido, pero no pudo contenerse. Linda la escuchó sollozar y le dijo que salía a verla ya mismo.

La entonces joven Aneth Castillo se calmó un poco al saber que no estaba sola. El resentimiento y la impotencia todavía la abrumaban, no obstante.

Aquella noche, años atrás, mientras esperaba a Linda, Aneth pensó en dejar la academia a raíz del ataque que había sufrido. Cuando la vio llegar, creía que ya estaba más tranquila, pero el abrazo de Amatista removió la herida. Lloró un rato mientras Linda la reconfortaba. Cuando le relató el amargo episodio, su amiga se llenó de rabia, el brillo de las lágrimas relució en sus ojos. Aneth le dijo que iba a abandonar la academia. Que ella no estaba hecha para aguantar todo lo que implicaba ser una mujer policía. Que no sabía qué iba a hacer, que no servía para nada y se sentía desconsolada, sola. Linda, con el rostro de su amiga entre las manos, acariciando su cabello y llevándolo detrás de las orejas, secó luego sus lágrimas. «No estás sola», le dijo y besó su mejilla. El beso la hizo inclinarse más sobre ella; le traía consuelo y le hacía vislumbrar una carencia voraz en su ser. Ella misma comenzó a acariciar el cabello de Linda. «Necesito afecto», dijo mientras Linda continuaba besando sus lágrimas. «Nadie me...», fue lo último que dijo, como si a las palabras se las llevara una inercia, una embriaguez desconocida por ella. Así sintió los labios de Linda en su propia boca, su lengua acariciar sus propios labios. Cada contacto arrancándole un tímido gemido.

25

EL RAPTO DEL NIÑO

UNA PERSONA que busca verdadera venganza es alguien a quien hay que temer. De antemano, cree que todas sus acciones ya están justificadas. Es más, no solo piensa que son válidas, sino también necesarias. Cree que debe realizarlas para restablecer un equilibrio que se ha trastocado por la ofensa sufrida.

Nena, la mujer del corazón traicionado, no necesitó mucho tiempo para elaborar la suya. Tan pronto como se escabulló de los sicarios de quien fuera su amante, en pleno escape, descendiendo por un bosque tupido en plena lluvia, llegó casi como una revelación. Otra persona tendría que pagar los actos cometidos por su antiguo amor, eso sí. Y no sería ella quien cargaría con la responsabilidad de lo ocurrido al inocente.

Sabía que tenía poco tiempo para actuar. Los esbirros ya le estarían informando a su jefe que habían fallado en su misión. Estaba segura de que este la denunciaría con la policía y, muy pronto, ellos también la estarían buscando.

Poco tiempo atrás ya había abierto una caja fuerte bajo otra identidad en un banco de la región, justo después de que su marido se fuera con su hija a la capital. Con esos ahorros alquiló un auto y los materiales necesarios para lograr su cometido, haciéndose también con algunos implementos que la ayudaran a alterar su aspecto, encubriendo su verdadera identidad.

Cuando estuvo lista, se dirigió al parque donde sabía que encontraría a la persona que buscaba.

Esperó unos veinte minutos dentro del Toyota que había alquilado para la ocasión, observando con atención el parque. Aquella tarde, mucha gente lo visitó, sobre todo niños concentrados en mil y un juegos. Nena llevaba una peluca y lentes oscuros, pero quería exponerse lo menos posible. Vio a las personas de interés. Cuando una de ellas se separó lo suficiente de la otra, encendió el auto y se acercó a la acera del parque.

—¡Campeón! —gritó—. ¡Hey!

Un niño volteó y la miró extrañado. Entonces ella se quitó las gafas.

—¡Hola! —dijo el niño cuando la vio—. ¿Estás disfrazada?

—Sí —respondió.

—¿Por qué? ¿Y quién eres? —preguntó el niño y se acercó al auto.

—Soy una ladrona de bancos. Te tengo un regalo.

La mujer que había llegado con el niño estaba distraída, hablando con otras. La ladrona de bancos se apeó rápidamente del auto y abrió el asiento trasero. Allí había un camión de juguete. El niño, emocionado, entró en el vehículo y la mujer aprovechó el momento para cubrir su cara con un pañuelo empapado de cloroformo.

En instantes ya estaba de nuevo en el volante, alejándose del parque. Creía escuchar los gritos de los niños advirtiendo sobre el rapto.

26

LA JUSTICIA DE ANETH

ANETH NUNCA SUPO cómo procesar lo ocurrido con Linda aquella noche en su habitación de estudiante. La razón obvia era que ella sentía atracción por los hombres. Lo mismo Linda. Y aun así había ocurrido lo que había ocurrido. Cuando despertó a la mañana siguiente, su amiga ya no estaba allí. Había tenido un sueño profundo y no se percató del momento en que la dejó. Cuando se sentó sobre la cama, se llevó las manos al rostro, sentía más de una cosa perturbadora a la vez. A pesar de aquella confusión, enseguida entendió que lo que menos deseaba era perder su amistad con ella. Esta comprensión no resolvía todo el drama, pero al menos servía de punto de partida.

Cuando Aneth volvió a ver a Linda después de aquel encuentro, esta se le acercó furiosa. Mariana estaba con Linda. No había sabido nada de las dos en un par de días y se esperaba lo peor. No obstante, la razón de la furia de sus amigas era diferente a lo que se imaginaba Aneth. Mariana tuvo conocimiento de que los hombres que la asaltaron días antes eran, de hecho, otros aspirantes de la misma promoción de ellas.

—Están en el cafetín, justo ahora mientras hablamos —le informó Linda—. ¿Qué dices?

Para entonces había llegado a la conclusión de que terminaría el periodo que le quedaba y luego se retiraría. Igual pensó que no se iría sin al menos intentar desquitarse con los malditos que trataron de vejarla. Así, entró al cafetín junto con sus amigas. Vio a los tres tipos en la misma mesa. Apenas los tuvo al frente, no dejó hablar a ninguno, estampando un puñetazo en la nariz de uno de ellos. El hombre comenzó a sangrar. Los otros dos se levantaron de inmediato, pero ella no se acobardó. Uno alcanzó a golpearla en la boca y escupió sangre. Con el otro forcejeó y logró deshacerse de él aplicando llaves de lucha. Cuando el de la nariz rota trató de atacarla en desventaja, intervinieron Linda y Mariana. Así, uno por uno, Aneth los fue dejando en el piso, gimiendo de dolor. Aunque ella no había salido ilesa, no recibió heridas de consideración. Se descubrió lo que los hombres habían hecho y fueron expulsados y acusados por asalto y abuso sexual. Aneth fue sancionada, porque así era la ley. Pero el sargento la felicitó a título personal. Cuando Aneth salió de su despacho, supo que quería ser oficial de la Policía.

Quizá fue todo ese episodio de la pelea lo que hizo que no hablara con Linda nunca sobre lo ocurrido en su cuarto. Las primeras veces que estuvieron a solas después no carecieron de silencios incómodos. Pero con los días todo pareció volver a la normalidad. A pesar de ello, aquel secreto que ambas compartían siempre dio a su relación una complicidad única, como si cada una ocupara un lugar sin igual en el corazón de la otra.

27

LO QUE SABÍA YULI OBREGOSO

YULI OBREGOSO FUE patrullera del distrito de Playa Chacón. Según las noticias, había sido interceptada por un motorizado mientras cruzaba la calle. El copiloto la abaleó con una ametralladora Uzi, desde una distancia de un par de metros.

He recorrido el lugar del hecho. Hay varios establecimientos de comida rápida en la calle. Se sabe que Yuli no estaba de turno y vestía de civil. Ahora leo los reportes del caso en la comisaría de Playa Chacón. Ninguno logra establecer por qué estaba allí Obregoso.

¿Estaba saliendo de comer o iba a hacerlo? ¿Pensaba encontrarse con alguien?

Más temprano he tenido que recurrir a contactos que trato de evitar a toda costa, hombres que se ganan la vida enterándose de cosas, cosas que suelen estar al margen de la ley: movimientos de drogas, riñas entre criminales.

Lo que se rumorea entre ellos es que Obregoso tuvo conocimiento de algo que no debía saber: descubrió un cuerpo, pero al parecer quizá no fuera el cadáver lo grave del asunto, sino el lugar donde fue encontrado. Alguien le pidió que mirara hacia otro lado, pero no lo hizo. Trayendo como consecuencia su muerte.

Esto no suena tan descabellado. Antes de entrar al cuarto de evidencias, he entrevistado a algunos de los compañeros y compañeras de Yuli. Todos la describen como alguien idealista. Sin embargo, la información es muy vaga.

La situación me irrita. Apostaría a que Castillo sabe mucho más sobre todo esto de lo que nos ha compartido. Esto me toca en las fibras más sensibles y peligrosas de mi mente adicta, plantando una semilla de sospecha que fácilmente puede tornarse en paranoia. El *souvenir* que te deja el abuso de sustancias es una psicosis latente, esperando las circunstancias correctas para librarse de aquel marco que damos en llamar cordura.

Mi resentimiento con Aneth entra en conflicto con el trauma de haber perdido a un compañero en la línea del deber, años atrás. Y todo ello empieza a hacer mella en ese marco.

Continúo revisando las cajas con la documentación del caso de Obregoso. En el fondo encuentro unas pertenencias. Su celular, su billetera. Trato de encender el primero, pero no pasa nada. Lo observo con detenimiento y luego saco el mío. Diría que son el mismo modelo. Remplazo la batería de Obregoso con la mía. *Voila*. La pantalla se enciende.

Aunque me pide una clave, la pantalla de bloqueo muestra dos llamadas perdidas. Anoto los números en una libreta. Pienso en llamar a Castillo para informarle esto. Pero desisto, más por resentimiento que por una razón profesional y técnica. Primero voy a marcar estos números a ver qué encuentro. Luego puedo enviárselos a Castillo.

Llamo desde mi celular al primero, pero enseguida me aparece el mensaje automático de la operadora móvil.

Llamo al segundo y me da tono. Espero, intrigado, y cruzo

los dedos para que alguien conteste. Aunque quién sabe, pudiera ser un familiar o un novio.

No bien reparo en estos pensamientos, escucho una voz contestándome del otro lado.

Es la voz de Henry Parra.

28

LLÉVENME CON GOYA Y CASTILLO

El Empedrado es un distrito de Sancaré con una historia particular. En algún momento, en el siglo pasado, fue el hogar de la clase más privilegiada y poderosa de la capital. El asesinato de un líder social a plena luz del día, no obstante, desencadenó una ola de disturbios y violencia sin precedentes en la ciudad. Casas y establecimientos enteros de El Empedrado fueron saqueados e incendiados. La mayoría de los residentes huyeron para nunca volver, dejando numerosas casas abandonadas que luego serían ocupadas por los manifestantes y sus familias.

El hecho ocurrió en la avenida principal del distrito, que ahora se ha convertido en un bulevar peatonal muy transitado por los mismos capitalinos y también por turistas. El lugar exacto del homicidio estaba señalado con una pequeña placa conmemorativa.

Un hombre con gorra y gafas oscuras observaba con gravedad la placa. Llevaba un sobretodo impermeable con capucha. En todo el tiempo que había vivido en El Empedrado, siempre se tomaba un momento para observar la placa cada vez que salía a trabajar. Le gustaba imaginar la gesta heroica del personaje, del cual apenas había leído en primaria porque era un alumno muy perezoso. Aun así, extraía alguna clase de inspiración de ese pequeño ritual, como si la placa conservara algo del aura de aquel viejo líder, una energía que le era transferida por mera observación.

Ahora todo parecía haber cambiado mientras observaba las gotas caer sobre aquel metal. Sentía que el brillo que le fascinaba tanto se había esfumado, negándole cualquier forma de esperanza. Su vida misma, que hasta no hace mucho iba en ascenso embriagante, ahora se derrumbaba, los escombros cayendo irrecuperables en un abismo cuyo fondo no vislumbraba.

Henry Parra entendía esto, sin embargo, y la única solución que era capaz de concebir era la huida, tal y como los habitantes de antaño de El Empedrado. Aunque en su caso, no lo haría por algo tan rimbombante como «la furia del pueblo». Quizá ello fuera lo que le causaba más inquietud. Pues no escapaba de una sola cosa. El destino se le había presentado como un boxeador y debía cuidarse del ataque de dos puños: uno era el crimen organizado; otro, la ley.

La muerte de Bonilla le hizo entender lo peligrosa que eran las personas con las que se había terminado involucrando. Y la llamada de Goya hace pocos momentos no podía significar otra cosa que más problemas.

Parra se montó en un transporte público con destino al Centro, cuya ruta pasa por una terminal de viajes nacionales por tierra. Miraba hacia todas partes, nervioso. Su mente le jugaba trampas, construyendo posibles escenarios. Ninguno favorable. Henry pensó que ser atrapado por la policía sería lo menos terrible, contando con que Castillo se encargara de su custodia. En parte le parecía injusto, pues no creía haber cometido ningún crimen, y si rompió la ley fue bajo coerción, ya que su vida era amenazada. Eso debía atenuar su condena, si era tan mala su situación. Además, estaba dispuesto a colaborar con los inspectores. El problema era que entonces se convertiría en un objetivo de la mafia. Podrían eliminarlo en la misma cárcel. Que es lo que él pensaba que había ocurrido con Bonilla. Por eso los inspectores debían cuidar de él. A ningún cartel le gusta un soplón.

Parra se bajó a unas cuadras de la terminal. Sabía que podía haber policías allí. Como los autobuses solían terminar de cargar pasajeros fuera de la estación, decidió caminar a uno de estos paraderos. No había dejado de llover y una neblina comenzaba a empañar las calles. Una patrulla pasó a velocidad con la sirena a tope. Henry se detuvo un momento, más por miedo que por una decisión estratégica. Las luces de la patrulla se desvanecieron rápidamente en la neblina, la sirena retumbando en el fondo como el eco de una amenaza.

Después de caminar unos metros más, encontró una fila de personas pegadas al muro de un edificio, tratando de burlar algo de la lluvia que caía. Se acercó a preguntar y le confirmaron que esperaban buses que salgan de la capital. Cuando se colocó de último, se sintió optimista. Solo tenía que mantener la calma.

El optimismo duró poco, empero, pues Parra vio aparecer los destellos de luz de una patrulla, acercándose en la vía que pasaba justo frente a ellos. La patrulla iba a baja velocidad, como buscando algo. O a alguien. Henry bajó la cabeza un poco para impedir la visibilidad de su rostro con la capucha. De reojo, advirtió a la patrulla pasar de frente y avanzar un poco. Solo tenía que continuar un poco más y el peligro habría pasado.

Pero no lo hizo. La patrulla se detuvo y se apearon dos oficiales. Henry los vio acercarse hacia la fila de personas. Habían comenzado a solicitar la identificación desde el inicio de esta. Parra pensó en dejar la fila, pero enseguida entendió que esto lo delataría. Solo le quedaba rezar por un milagro.

De repente llegó un autobús que se detuvo a cierta distancia de la patrulla. El copiloto se asomó por la puerta, anunciando los destinos del transporte. «Alguien se acordó de mí allá arriba», pensó Parra.

Cuando vio a varias personas salir apresuradas a montarse en el bus, él hizo lo propio, esperando camuflarse entre ellas. Uno de los oficiales, sin embargo, fue hasta la unidad y solicitó al conductor que permanezca detenido. El miedo le ganaba a Henry y decidió escabullirse por detrás de la unidad, manteniendo la cabeza baja mientras atravesaba la avenida. En ese momento escuchó a uno de los policías gritar. Sabía que era con él, pero se hizo el desentendido. Escuchó un segundo llamado y se dijo que, si había un tercero, se daría a la fuga.

Apenas escuchó el tercer llamado, Parra comenzó a correr lo más rápido que pudo. El impermeable que llevaba le dificultaba el movimiento, lo mismo que la mochila en su espalda. Sin embargo, la mochila no podía dejarla. Llevaba varios fajos de dólares de alta denominación. La agitación y el ruido de sus propios jadeos apenas le permitían escuchar las bocinas de los autos que le pasaban rozando a alta velocidad. Cuando logró cruzar al otro lado, volteó y observó a los oficiales a mitad de la avenida, uno de ellos comunicándose por el radio. Aprovechó entonces para quitarse la mochila. Se deshizo del impermeable, tomó el bolso con una mano y volvió a salir corriendo entre las calles estrechas.

Ahora el llanto de las sirenas era ineludible y tras correr unas cuadras se sintió exhausto. Su ánimo se quebraba.

Llegando a otra avenida, lo interceptan dos patrullas. Cayó de rodillas primero y luego se tiró al suelo para recuperar el aliento. Poco después tomaban sus muñecas y lo esposaban.

—Con los inspectores —dijo jadeante—. Deben llevarme con Goya y Castillo.

29

EL INTERROGATORIO A HENRY PARRA

CIERTAS PIEZAS del rompecabezas comienzan a descubrirse. Aunque la figura total todavía no se revela.

Observo a Parra a través del cristal, sentado en el cuarto de interrogatorios, esperando por mí. Parece un animal dócil, un perro callejero en un refugio, esperando un nuevo dueño.

¿Para qué Parra quería comunicarse con Yuli Obregoso? Pero más importante, ¿por qué Linda Amatista intentó lo propio?

La otra llamada perdida era del teléfono de ella.

—Inspector Goya —dice Parra apenas me ve entrar—, mi vida corre peligro.

—Apuesto a que sí —respondo nada sorprendido.

—Estoy dispuesto a decirles todo lo que sé, pero me tienen que proteger de la mafia del sindicato.

—¿Y qué es lo que sabes?

Parra musitó unos sonidos, como esperando que la información llegara quién sabe cómo.

—¿Quién es el cabecilla de la mafia?

No sabe qué responder.

—En este juego no tienes la mano ganadora y ya lo sabemos, Henry.

Se lleva las manos al rostro, sumido en una profunda confusión.

—¿Por qué no nos dices algo que sí sepas? ¿Por qué tu número telefónico aparecía en el celular de Yuli Obregoso?

Parra asiente, las manos aún tapando su cara. Se soba los ojos y mira la mesa.

—Me había endeudado con los organizadores de una mesa de póker clandestina. No consideré que fueran muy peligrosos. Pero uno de los miembros trabaja en uno de los bancos principales del país. Tiene un cargo importante y amenazó con reportarme a la intendencia de crédito. Quizá no debí haberle creído. Tenía un dinero muy especial guardado que no quería tocar. Pensé que no tendría más remedio que usarlo. Un día mencioné esto sin querer, después de unas cervezas con un grupo del sindicato de obreros. Entre ellos estaba Demetrio Bonilla.

—¿El mismo que apareció en las noticias hace poco?

—El mismo. Cuando ya nos retirábamos, Demetrio me pidió acompañarlo hasta su auto. A solas, me dijo que él podía ayudarme con un préstamo. Aquello no me convenció mucho porque entonces estaría en deuda con él. Me dijo que no me preocupara, que no tenía por qué pagarle enseguida y que de momento bastaba con brindarle mi ayuda si la necesitaba.

Parra suspira.

—Acepté —continúa—. Al comienzo los favores eran bastante insignificantes: supervisar el trayecto de un camión de carga, hacerme cargo de un depósito de materiales por unas horas, hacer entrega de ciertos documentos…

—¿Conocías el contenido de los documentos?

—La única condición de Demetrio era no hacer preguntas. No revisaba los documentos. No conocía el contenido de los camiones cuyo trayecto supervisaba. Y así. Como me pagaban bien por cada una de estas tareas, que en realidad no me exigían mucho, no puse atención en ello. Entonces, Demetrio me ofreció un puesto en la obra de El Palmar con una muy buena paga. Ya para aquel momento le había devuelto la mitad del dinero que me prestó.

—Y aceptaste el puesto.

—Vengo de una familia sin muchas oportunidades, inspector. No soy una mala persona. No le deseo ni le he hecho mal a nadie. Por primera vez se me abría la posibilidad de no tener que preocuparme por la renta y la comida. La tomé, sí. Pero también me dije que me distanciaría de Demetrio y de toda esa operación extraña que él tenía. Solo que me pareció posible pagar mi deuda con mi nuevo salario sin tener que echar mano del dinero que tenía guardado.

—¿Y cómo termina Yuli Obregoso metida en todo esto?

—Antes de terminar de saldar mi deuda, recibo una llamada de él para un favor de los que hacía al principio. No quise aceptar, pero me prometió que sería el último. No me preocupé mucho, pues se trataba de ir al depósito de materiales al que ya había ido varias veces.

En ese momento, el relato de Parra se interrumpe. Ambos escuchamos la puerta del cuarto abrirse. Era Aneth. Fue ella quien me confirmó que el otro número en el teléfono de Yuli era el de Amatista. Me dijo que nos veríamos en la comisaría.

Aneth se sentó a mi lado.

—Sigue —le dice a Parra.

—Pues —prosigue él— fui al depósito. Y maldita sea mi suerte. Ese mismo día, una policía llegaría para una inspección, respondiendo a una denuncia de posible contaminación.

Alguien había hecho una queja por olores putrefactos saliendo de una de las alas del edificio. La policía era Yuli Obregoso. Yo la recibo con toda la cordialidad y la acompaño a hacer la inspección. Cuando llegamos a la zona en cuestión, no pude obviar el olor asqueroso que impregnaba el lugar. Entonces me asusté realmente. Avanzamos más y ya parecía obvio que nos acercábamos a la fuente de aquella fetidez. Detrás de unos sacos de mezcla para concreto, vimos el cadáver de una mujer. La policía de inmediato se comunicó por su radio. Una mujer del personal casi se desmaya. Yo enseguida me retiré a hacer una llamada, después de evadir a la policía con unas respuestas escuetas. Me comuniqué con Bonilla de inmediato y me dijo que permaneciera en el sitio, que pronto llegarían dos agentes a encargarse de todo. Que no me preocupara.

Yo saco mi libreta y comienzo a bosquejar algo en ella.

—¿Qué sucedió con Yuli? —le pregunto.

—Bonilla me había ordenado distraerla hasta que llegaran los agentes. Así que eso fue lo que hice, aunque estoy seguro de que mi intervención no mejoró la situación. Días después, cuando anochecía, me pidieron llamarla, sin decirme la razón ni lo que debía decirle. Ni siquiera tenía que hablar. Solo llamarla y asegurarme de que contestara. Al día siguiente de eso, me entero en las noticias de que la habían asesinado a balazos.

—¿Qué ocurrió después? —pregunta Aneth. «A este quisieron tenderle una trampa para inculparlo», pienso.

—Pues nunca había vivido nada parecido a lo que sucedió aquellos días. Estaba decidido a romper con aquella gente; ya no me quedaba duda de que andaban metidos en malos negocios. Para ello pensé que bastaría con terminar de saldar mi deuda con Bonilla. El problema es que el dinero que tenía guardado lo había escondido en el apartamento de Linda.

Traté varias veces de comunicarme con ella, pero nunca logré hacerlo. Supongo que para entonces ya estaría desaparecida, pero tenía que entrar como sea. Logré hacerlo forzando la ventana. Más tarde ese mismo día le entregué el dinero a Bonilla. Varios días después me enteré de que Linda había aparecido muerta.

30

EL TATUAJE DE LAS TRES AMIGAS

—¿Entonces a Linda la asesinaron los tipos que trabajaban con Bonilla? —interrogo poco convencido.

—En verdad, no lo sé. Para el momento en que comencé a trabajar en El Palmar ya no estábamos juntos.

—Y antes de eso —interviene Castillo—, ¿sabían que tú y ella estaban juntos?

—Nunca me lo hicieron saber. Pero quizá lo averiguaron de alguna manera.

Escucho a mi compañera soltar aire por la nariz, insatisfecha.

—El cadáver —dice luego algo agitada—, el cadáver que encontraron en el depósito. ¿Puedes describirlo?

—Estaba muy maltratado, tenía heridas por todos lados.

—¿Se veía sucio, con rastros de lodo o tierra? —indago.

—No.

—¿Alguna señal distintiva en el cuerpo, algún objeto? —inquiere mi compañera.

—Tenía unas esposas en una mano... Y recuerdo un tatuaje en el antebrazo.

—¿Cómo era? —pregunta preocupada.

—Era un triángulo.

Castillo suelta un puñetazo sobre la mesa. Tanto a Parra como a mí nos produce un sobresalto. Luego se sube una de las mangas del saco y muestra su antebrazo.

—¿Como este? —pregunta, exhibiendo el mismo tatuaje. Cerca de cada vértice había una letra: A, L, M.

—Como ese —responde Parra, cayendo en la cuenta de que eran malas noticias.

Miro a mi compañera cerrar los ojos, los músculos de su cara se han contraído, su mandíbula está tensa. Se pone de pie, de súbito, tumbando la silla, y sale de la habitación.

¿Quién era aquella mujer encontrada por Yuli Obregoso? Era Mariana Pombo. Me viene a la mente la fotografía en el apartamento de Linda Amatista, aquella tercera chica, la que no había reconocido, era ella. Aneth, Linda y Mariana, las tres compañeras de la academia de Policía.

Observo mi libreta. El dibujo está terminado.

—Henry, aquel depósito…

—Sí.

—¿Pertenece al sindicato?

—No. Pertenece a una empresa llamada Terra.

—Y los tipos que Bonilla te mencionó, ¿llegaron al final? ¿Los viste? ¿Tenían uniforme?

—Sí los vi. No tenían uniforme. Eran unos sujetos fornidos. Uno tenía el cabello rapado y creo que un tatuaje.

Arranco la hoja de mi libreta con el dibujo y lo deslizo hacia él. Había hecho un bosquejo rudimentario de los sujetos que vigilaban a Silvia.

—¿Se parecían a estos? —añado.

Los gestos de Henry fueron de reconocimiento.

—Muy parecidos.

—Henry Parra, quedas detenido por obstrucción a la

justicia y conspiración. En un momento entrará un oficial a leerte tus derechos.

Parra se queda con la boca abierta, los brazos alzados, señalándome, sin entender nada de lo que pasa.

Salgo lo más rápido que puedo para alcanzar a Castillo. El dolor en mi tobillo y mi paso torpe no me lo hacen fácil. Sotomayor sale a mi paso.

—¿Entonces hay otra policía muerta? —me pregunta, tomándome del brazo.

—Una que nunca encontramos, aquella por la que reñiste a Castillo —respondo y retomo el paso.

Continúo hasta la esquina y veo a mi compañera al final del pasillo transversal, subiéndose al ascensor, haciendo un pequeño gesto de saludo a otra mujer que sale del mismo, alguien mayor que ella y de apariencia opuesta.

Las curvas de sus caderas no se disimulan bajo la falda. El pañuelo que envuelve su cuello me invita a observarlo.

Su visión me distrae y hace que me detenga.

—Inspector, lo estaba buscando —dice Vera Simmons.

31

LA TORTURA DEL INFANTE

Nena lanzó agua helada sobre el niño. Lo vio despertar asustado, su respiración cambió con brusquedad. Podía observar su piel lozana contrayéndose por el frío. La mujer se regodeaba en la visión, sacando hasta la última gota de placer de la sumisión en que había colocado al menor. Ya ha dejado de ser la que era hace tan solo unos días.

El niño se descubrió en una silla, inmovilizado, sujetado a ella por un cinturón. Sus manos atadas frente a él y lo mismo sus tobillos. Trató de hablar, pero apenas pudo emitir un sonido vago, tenía la boca tapada con cinta adhesiva.

La mujer vio su rostro transformarse en pavor y le pareció que iba a empezar a llorar, así que le soltó una cachetada. El niño la observaba, atónito.

—Estas no te sirven —dijo, mostrando unas esposas, luego lanzándolas tras ella.

El pequeño observaba todo confundido.

—Es hora —dijo Nena.

Tomó las manos del chico y pasó otra cuerda sobre el amarre, pero en sentido perpendicular. Luego la aventó por encima de un listón de madera más arriba y comenzó a tirar de la cuerda. Los brazos del niño se elevaban poco a poco. Ella podía escuchar sus gritos. Cuando alcanzó la altura suficiente amarró la soga a otra columna y soltó el cinturón que mantenía al niño sujetado a la silla. Después retiró esta última. Pasó entonces una cadena por el amarre de los tobillos, que luego aseguró a una argolla fijada en el suelo, a varios centímetros tras él.

Por último, tomó cierta distancia de su víctima. Lo ve de rodillas, completamente indefenso. Por un instante, lo que pensaba hacerle le generó algo de confusión, pero sin dificultad se deshizo de aquella tensión y se dispuso a la tarea, la parte más importante de su venganza.

El niño la miró acercándose, su sombra cubriéndolo por completo. Desde su garganta trató de salir una pequeña voz con todas sus fuerzas.

Pero, aunque lo hubiera logrado, no había nadie que pudiera escucharle. No en kilómetros.

32

LAS PASIONES DE GOYA

—He estado indagando más sobre Bonilla —me dice la fiscal mientras busco un lugar para hablar con tranquilidad.

—¿Algo interesante? —pregunto y abro la puerta de un salón de conferencias que está desocupado.

—Resulta que no solo trabajó en Terra de paso. Estuvo quizá desde el comienzo, pero, sobre todo, siempre permaneció muy cercano a Aníbal Aristegui.

—Ese maldito nombre no deja de salir —comento, buscando unas sillas.

—Por si fuera poco —agrega mientras me ayuda—, estoy segura de que hay un vínculo familiar entre Aristegui y Rafael Lander.

—¿El intendente de Villablanca? —insisto, sorprendido.

Le acerco una silla, pero doy un mal paso sobre mi tobillo lastimado. Estoy a punto de caer, pero logro sostenerme de una mesa, en parte gracias a la ayuda de Vera. Todo ha ocurrido muy rápido, pero cuando me percato de la situación, la fiscal está muy cerca de mí. Un silencio delator nos ha poseído. Mi brazo ha terminado alrededor de su cintura.

Puedo escucharla respirar. Puedo oler el aroma de su perfume y un poco de su propia transpiración. Lo encuentro tan agradable que me intoxica de placer. Siento todos mis remordimientos, toda mi irritabilidad y ansiedad desvanecerse sin dejar ningún tipo de rastro. Con mi mano aprieto ligeramente su carne y la escucho soltar un gemido apenas perceptible. No he sentido nada parecido a esto en tanto tiempo que solo me dejo ir. Vera me besa y yo la estrecho con fuerza. Ella separa sus labios un momento, suspirando, sintiendo mi virilidad. Me busca con su mano. Ha olvidado a la funcionaria cordial y formal. Me encuentra y se separa de mí solo un poco, lo suficiente para verme a los ojos cuando lo aprieta entre sus manos. Y gime.

La puerta del salón se cierra con fuerza. Casi con odio. El sonido nos ha devuelto a la realidad.

—No —dice Vera—. ¿Qué estamos haciendo?

Escucho unos pasos afuera y salgo de inmediato. Cuando me asomo, veo a una mujer desaparecer al final del pasillo. Es Silvia.

Trato de moverme como si no tuviera ninguna lesión, pero me es imposible. Todavía me digo que merezco ese dolor y lo asumo con cada paso que doy mientras acelero mi marcha. Maldigo mi mente de adicto. Pronuncio el nombre de Silvia una y mil veces. Algunos rostros se asoman por los ventanales de las oficinas, aparecen por encima de los cubículos, se detienen en los pasillos.

Justo afuera de la comisaría logro alcanzarla, antes de que baje las escaleras al estacionamiento. La tomo por uno de los brazos. Ella lo sacude. Bajamos unos escalones.

—Sabes —dice—, lo que más lamento es haberme sentido mal los días siguientes a tu encuentro con los tipos aquellos…

—Silvia…

—Entonces me dije, por qué no solo vas a darle las gracias

y ya, puedes seguir con tu vida. Y tonta de mí volví a acudir a ti.

No sé qué decir. A pesar de mi vergüenza, una pequeña y maldita voz dentro de mí dice que hace años nos separamos, que no le debo ninguna fidelidad.

—Ojalá y nunca te hubiera llamado —dijo Silvia con amargura.

Ella retoma su paso hacia el auto. Yo estoy a punto de bajar los últimos escalones, pero otra mala pisada me hace rodar por ellos y por el piso. Escucho el auto de Silvia partir.

Miro el cielo gris y suelto un grito de frustración.

El éxtasis que había sentido hace solo momentos se ha evaporado. Como si hubieran acumulado más fuerza y peso, todos los pensamientos malditos que trato de mantener a raya todos los días caen sobre mi ánimo como un cataclismo. Las cosas que más temo se vuelven realidad, aunque estén solo en mi cabeza.

Me levanto del suelo con un pensamiento fijo en mi mente. Lo único que le puede dar solución a mi remedo de vida.

Salgo a la calle y me adentro en los callejones del centro de Sancaré. Callejones cada vez más olvidados y precarios, donde solo la escoria de la ciudad se esconde. No es la escoria más criminal, porque no matan a nadie que no sea a ellos mismos, lentamente, tras cada ingesta, cada inyección, cada inhalación, cada inspiración. Los dolores de mi cuerpo siguen allí, molestando, pero los de mi espíritu son los peores.

—¡Jefe Goya! —escucho a uno decir, la voz más propia de un espectro que de una persona viva—. Lo extrañábamos. Yo sabía que lo volveríamos a ver. Siempre se lo dije a los muchachos, ¿cierto, muchachos?

Nadie responde, los que lo rodean están dormidos o en un trance patético.

—¿Lo de siempre? —pregunta.

Mi teléfono suena. El hombre busca algo en sus bolsillos. Yo saco mi celular y veo la pantalla. El hombre me alarga un pequeño instrumento de cristal, uno de sus extremos está oscurecido por la continua exposición al fuego.

En la pantalla de mi teléfono veo el nombre de Laura y la imagen de ella de fondo de pantalla.

33

ANETH, CAMINO A IPALES

ANETH IBA sobre la pista de un asesinato cometido a una mujer policía. Todo empezó gracias a que una patrullera de Puertollano le diera un papel con solo dos nombres: Lucio Mata, un periodista y Melissa Ramos, una patrullera supuestamente asesinada. Ambas personas residían en Ipales.

Mientras conducía los recuerdos de su niñez la invadieron por completo. Se preguntó cuándo había sido la última vez que había visto a su madre.

El recuerdo era algo borroso. Todavía era muy pequeña cuando ocurrió. Recuerda despertarse en medio de la noche con una sensación incómoda. Recuerda escuchar algo desde la sala. Estuvo sentada en su cama. Quién sabe cuánto tiempo. Sentía un poco de miedo. No sabía si realmente escuchaba algo o no. A la vez sentía mucha curiosidad, así que salió de la cama.

Dando pasos muy cuidadosos, se acercó a la puerta y la abrió de la manera más silenciosa posible. Se asomó desde el umbral de la puerta de su cuarto. Vio una sombra moverse desde la sala. Recuerda sentir un temor certero en ese momento. Pero ya estaba prácticamente en el pasillo, así que por qué no asomarse en la sala. Desde pequeña siempre le gustaron los superhéroes, las peleas entre buenos y malos. Le fascinaban las artes marciales. Se imaginaba luchando contra ladrones, su mamá y su papá alzándola luego, orgullosos por haberlos salvado.

Cuando se asomó en la sala, sin embargo, vio a su madre.

Acomodaba algo en una maleta que estaba en el suelo. Ella advirtió su presencia. Permaneciendo agachada, cerrando la maleta, le sonrió y se llevó el índice de una de sus manos a la boca, pidiéndole que guarde silencio, como si aquello fuera un secreto entre ambas. Aunque ahora no recuerda su rostro, sí la sensación de que su madre era la mujer más hermosa del mundo. La mujer se puso de pie. Ya estaba ante la puerta de la casa. Tomó con una mano la maleta y con la otra la manilla. Volteó a ver a la niña una vez más. Todo es muy borroso, pero ahora cree recordar los ojos de su madre llenándose de lágrimas, acaso derramar alguna. Pero le es difícil saberlo con certeza. Acaso sea el deseo de ella, retocando eventos remotos, para darle algún matiz positivo.

La mujer abrió la puerta y se fue. Para siempre.

¿Qué otra cosa puede hacer una persona cuando debe conducir largas distancias? Recordar. Imaginar. Fantasear.

La primera hora del trayecto a Ipales, Aneth estuvo pensando en su hija, reviviendo la despedida que habían tenido más temprano, la sensación de tenerla entre sus brazos. Estuvo tratando de obviar la sensación desgarradora de no poder quedarse con ella, de tener que dejarla para salvarla. Si no resolvía lo que tenía que resolver, la vida de ambas corría peligro. Pensó en que Valeria se parecía más a su padre que a ella.

Entonces le inquietó una pregunta que llevaba tiempo sin hacerse. ¿Cómo se vería su propia madre ahora? ¿Estaría viva? ¿Qué rasgos tenía similares a ella? Su padre siempre le dijo que se parecía más a ella que a él. Y Aneth sí podía distinguir ciertas facciones de su rostro que eran similares a las de su papá. Pero de las que no, no era capaz de imaginarse cuál era la fuente. Solo existía ella misma como referencia.

Cuando se entretenía en estos pensamientos, llegó al repentino descubrimiento de que la edad que tenía cuando su madre los abandonó era la que tiene Valeria ahora. La memoria de aquella ocasión, si bien vaga, era algo que Aneth trataba de no tocar. Pero ya estos días se habían convertido en tal revisión de recuerdos que simplemente se sintió obligada a revivirlo.

Ahora, la extraña coincidencia de edades entre su hija y la de sí misma, cuando su madre se fue, movía sus fibras supersticiosas. Ahora tenía que aceptar que cada vez que dejaba a Valeria para resolver este misterio podía ser la última. Esto la llenaba de terror y de furia. Con el temor no podía hacer nada, pero quizá con la furia sí, usar esa emoción para hacer lo que tenía que hacer.

La inspectora sacó su teléfono y marcó un número.

—Aneth, ¿dónde estás? —interrogó Hilario Cota casi como un regaño—. Goya te estuvo buscando como loco. El comandante está furioso contigo.

—Hilario, necesito que me ayudes con una información —replicó ella, ignorando todo lo que le dijo.

—¿Pero qué les pasa a todos acá? ¡No soy un maldito *hacker*!

—Hilario, te lo pido. Necesito saber qué se sabe sobre la muerte de una tal Melissa Ramos. Era policía de Ipales, donde murió. Es allá a donde me dirijo.

—¿Estás en camino a Ipales? ¿Te has vuelto loca?

—Es muy importante esta información, Hilario. Estoy segura de que tiene vinculación con lo ocurrido a Mariana Pombo, Linda Amatista y Yuli Obregoso.

Aneth terminó la llamada, a pesar de que la voz de Cota continuaba profiriendo quejidos y reclamos.

34

LUCIO MATA, EL PERIODISTA

ANETH VISTE ropa deportiva pero holgada. Lleva el cabello recogido y una gorra para correr.

Cuando entraba a Ipales, Cota se comunicó con ella. La versión oficial era que Melissa Ramos había muerto en un accidente de tránsito. Pero dos factores volvían el asunto un poco confuso. El más relevante, o fidedigno, era que, según la familia de Ramos, la mujer habría desaparecido algunos días antes del accidente. El otro, menos confiable, era un rumor ventilado en un foro extravagante de Internet, mantenido por un diario amarillista de la zona llamado La Tribuna. Como todo esto ha ocurrido hace más de un año, las referencias directas son escasas, pero básicamente decían que Melissa no había muerto a causa del accidente de tránsito. Que las causas eran otras y estaban siendo encubiertas.

Ya era de noche cuando Aneth caminaba por las calles de Ipales. El frío hacía que quienes iban en grupo se juntaran más, que los solitarios caminaran de brazos cruzados. Las luces de los faros se difuminaban con la niebla.

La sensación de ser vigilada había regresado apenas comenzó a caminar por el pueblo.

Aneth llegó por fin al edificio que buscaba. En la entrada, una pequeña valla lo identifica como La Tribuna.

En la recepción preguntó por un tal Lucio Mata. Le indicaron que subiera al tercer piso. Cuando salió del ascensor se percató de que quedaban pocas personas. Comenzó a caminar por los cubículos para observar a los pocos presentes. Uno de ellos reparó en ella y le preguntó si buscaba a alguien. Ella repitió el nombre y el hombre señaló a una esquina.

Cuando ya se acercaba al cubículo, Aneth vio a un tipo asomar la cara. Tenía barba, usaba gafas y era de aspecto arrogante.

—¿Lucio Mata?

El hombre asintió.

—Señor Mata —continuó Aneth—, me llamo Ana Castro, trabajo en un diario de Sancaré que está realizando un reportaje sobre fotoperiodismo.

—¿Como si solo existiera en la capital?

—Ese es precisamente el mito que quiero desmontar. Me han dicho que usted…

—Dime Lucio, no hace falta que te dirijas a mí como usted.

—Pues he escuchado buenas referencias de ti, Lucio, que has cubierto una gran variedad de casos, incluyendo muchos que son bastante impactantes.

—Es cierto —dijo, inclinándose sobre su silla, llevándose las manos tras la cabeza—. Trato de ir a donde más nadie va. Pienso que una imagen puede ser un acto comunicativo poderoso.

—Me encanta eso —comentó Aneth mientras buscaba unas cosas en su mochila—. ¿Te importa si tomo notas y grabo la conversación?

—Supongo que estamos en una entrevista ahora —dijo y le acercó una silla.

Ella se acomodó. Mientras sacaba las cosas de su mochila, dio un vistazo al cubículo de Mata. Una revista de modelos en bikini. Un libro de fotografía sobre protestas sociales. El monitor de su computadora mostraba algún programa de edición de imágenes.

—¿Cuánto tiempo tienes en esta línea de trabajo? —preguntó Aneth, colocando una grabadora sobre la mesa del cubículo, en una esquina.

—Unos cuatro años —respondió con voz altanera, arremangándose la camisa, como queriendo exhibir sus antebrazos tatuados.

—¿Alguna vez viste algo tan impactante que no pudiste cubrirlo?

—Hubo una vez un hombre que un día se volvió loco y decidió matar a cuchilladas a su esposa e hijo. Había mucha sangre.

—¿Te retiraste del lugar?

—Hice mi trabajo. Pero admito que fue la vez que más me costó hacerlo.

—¿Cumplir con tu trabajo te ha causado problemas alguna vez?

Castillo observó con atención al hombre mientras hacía la pregunta. Este ciñó más al cuerpo sus brazos cruzados, subiéndolos más, a nivel de su pecho; sus ojos abandonaron la disposición altiva y grave por un segundo.

—Muchas de las imágenes que capturo son de naturaleza grotesca. No es nada raro que generen aversión en la mayoría.

—¿Y qué hay de problemas con otra clase de lectores, no los regulares?

—Oye, me encantaría seguir esta entrevista —señaló

Lucio—, pero ha sido un día largo. Con gusto podemos continuarla otro día.

Lucio se levantó de la silla. Aneth hizo lo mismo, pero colocó su mano sobre el brazo del hombre, con gentileza.

—No tenemos por qué seguir una entrevista formal —señaló ella—. ¿Por qué no me dejas invitarte una cerveza?

35

ANETH, EN EL INTERIOR DE UN FURGÓN

A PESAR DEL FRÍO, el centro de Ipales estaba bastante concurrido aquella noche. Aneth y Lucio Mata entraron a un bar a unas cuadras de la plaza principal, ubicado entre callejones estrechos. Según Lucio, era un bar de artistas donde se encuentra gente interesante.

Aneth había tenido que escuchar a Lucio hablar sobre su vida, sobre cómo le interesó la fotografía, sobre aquella vez que una modelo posó desnuda para él… Ahora regresaba de buscar la tercera ronda de cervezas. Cuando entregó a Mata la suya, se quitó la chaqueta antes de sentarse y se soltó el cabello. Sabía que Lucio la observaba, lo cual estaba en sus planes. No obstante, advirtió a un sujeto en la entrada que no compaginaba en nada con el resto de la clientela, en quienes predominaba la apariencia bohemia. Este tipo, sin embargo, vestía con ropa hecha a la medida y de tendencia. Parecía más del personal de seguridad de una discoteca costosa de Sancaré, no solo por el atuendo, sino por el físico. Lleva el cabello rapado, por su cuello se asoma un tatuaje. Permanecía en la entrada, mirando en dirección a ellos.

«Al menos no era un delirio de persecución», pensó Aneth, refiriéndose a la sensación constante de tener unos ojos encima, registrando cada uno de sus pasos. Se dio cuenta de que tenía poco tiempo para obtener la información que necesitaba. Acercó su silla a la de Lucio, buscando dar la espalda al hombre de la entrada.

—A la mayoría le cuesta mucho entender el gore —comentó, inclinándose un poco, como compartiendo un secreto—. Llevan vidas muy simples como para apreciarlo.

—No es para cualquiera —replicó Mata, sonriendo con genuino interés.

—Claro. Puedo comprender que la mayoría lo encuentre repulsivo. Pero ver ese aspecto negativo de la vida, esa dimensión que también es parte de ella, me lleva a apreciarla en un nivel muy distinto, más elevado... Casi me causa excitación.

Lucio soltó una carcajada y tomó un trago.

—Eres una mujer muy inusual, Ana.

—No tienes la menor idea. ¿Sabes qué me causó una intriga suprema?

—¿Qué?

—Escuché sobre algo que ocurrió aquí en Ipales. Una mujer que supuestamente había muerto en un accidente de tránsito, pero en verdad le había ocurrido otra cosa, creo.

Lucio carraspeó. Su disposición abandonó la jovialidad previa.

—¿La mujer policía? —preguntó.

—¡Sí! —replicó Aneth. Mata la tomó del brazo con una mano y con la otra hizo una señal de calma—. ¿Cuál era su nombre?

—Yo estuve ahí. Se llamaba Melissa Ramos. Fui el primero en llegar y alcancé a tomar unas fotos. La mujer estaba desnuda dentro del auto. ¿Qué mujer policía sale a manejar desnuda? Por si eso fuera poco, se veía muy golpeada… Pero muy golpeada, estoy hablando de que parecía que la habían torturado. Hasta tenía puestas unas esposas.

Aneth respondió haciendo un gesto de sorpresa, de haber escuchado algo inaudito, por completo ajeno a ella.

—¿Y tienes fotos de eso aquí?

El gesto vago en el rostro de Mata le confirmó que ese era el caso. Este hecho era el que realmente le causaba sorpresa. Comenzó a rogarle que se las muestre, pero Lucio se resistía, aunque con poca determinación. Aneth pensó en lo tontos que eran los hombres.

—Si me las muestras —dijo ella mirándolo fijamente—, te juro que soy capaz de hacer lo que quieras.

Con el índice y el dedo medio, acarició con suavidad el dorso de la mano de Lucio Mata. Lucio se levantó de golpe, tomó sus cosas y se marchó del bar. Castillo lo siguió con la mirada, indecisa, las manos contraídas en puños, sintiendo que veía marcharse una posibilidad certera de resolver este caso que ya estaba acabando con su espíritu, erosionando la fe sólida que ponía en esta nueva fase de su vida que la encontraba convertida en madre. Acaso por ello mismo, colmándola de una dicha insospechada.

Las elucubraciones se volvieron todavía más oscuras cuando vio al matón del tatuaje salir tras Lucio, casi sin disimulo.

Aneth dejó unos billetes en la mesa y salió deprisa. Un grupo de muchachos hicieron su entrada, obligando a los que ya estaban de pie a reacomodarse. Casi todos los espacios del bar se habían colmado. Tres tipos que estaban de pie, cerca de su mesa, impedían que siquiera se acerque a la salida. Castillo trató de excusarse de la mejor manera, pero estaban imbuidos en la discusión de un partido de fútbol que pasaban en el televisor del bar. Se vio obligada a abrirse paso como dé lugar y sintió una mano sujetarla con fuerza por el antebrazo. Su paciencia se había acabado. El hombre trató de soltar alguna queja, pero ya tenía el brazo doblado y gritaba de dolor. Los otros hicieron el ademán de atacarla, pero enseguida sacó su arma. Escuchó algunos gritos de mujer, unas groserías y luego un silencio casi absoluto.

—Solo quiero salir del maldito bar —dijo cuando ya estaba en la puerta.

Aneth miró hacia los lados del callejón, pero no vio nada. Luego tomó la dirección que daba hacia la plaza. Desde la esquina, la observó, pero no vio ninguna señal de escándalo público. Gritó una maldición y tomó la dirección contraria. Al final llegó al cruce con otro callejón, y al fondo de este vio al grandulón doblando la esquina.

Corrió lo más rápido que pudo, blandiendo el arma, gritando que era policía, que no se moviera. En la siguiente esquina vio al grandulón apuntando con el arma hacia un lugar que no podía observar, pero a algo o alguien que debía estar en el suelo. Corrió entonces con más ahínco que nunca, gritando que no. Cuando se lanzó sobre el tipo, había escuchado un disparo. La velocidad con la que venía y su propio peso no habían sido suficientes para tumbar al hombre, quien, sin embargo, perdió por un instante el equilibrio. Por desgracia, lo recuperó enseguida, mientras ella continuaba asida por el cuello sobre su espalda, como un morral de colegio.

Aneth no supo bien qué pasó, pero sintió un sacudón violento y luego abrió los ojos y se vio en el suelo. Desde allí vio a Lucio Mata recibir dos disparos más y quedar inerte en el piso. Pero, apenas cobraba conciencia de esto, ahora sentía otros brazos igual, o más fuertes, tomándola por la espalda.

Luego se vio en el interior de un furgón y sus gritos eran enmudecidos con un pañuelo presionado con mucha fuerza sobre su boca y nariz, de él emanando un olor demasiado penetrante y artificial, llegando hasta sus mismos pensamientos, Guillermo Goya, Linda Amatista, su hija Valeria. Y, por último, la cubrió un velo tan oscuro que hasta los sonidos empezaron a desvanecerse, la aceleración de un motor y los gritos de personas en la calle perdiéndose en un abismo negro.

36

LAS TRES INSTRUCCIONES DE ANETH

—¡Pérez! —grito de susto, acostado en el sofá de una sala.

Desde el umbral de una puerta veo asomarse un rostro.

—¿Papá? —aventura Laura—. ¿Estás bien?

Ella se acerca y toma la manta con la que me tapaba mientras me siento sobre el sofá.

—Estás empapado de sudor —me dice—. ¿Estás volviendo a soñar con Marcelo?

Asiento, agotado. Me restriego los ojos haciendo memoria. Debo haber entrado en alguna suerte de episodio extraño.

—¿Volví a…? —pregunto a medias, incapaz de verbalizar por completo mi temor, mi vergüenza.

—No, Goya. No consumiste nada. Estás bien —me responde mi hija tratando de tranquilizarme.

Me da unas palmadas en la espalda.

—Silvia —recuerdo—… Maldita sea.

—No quiero saber los detalles —aclara y me acerca una taza de café—. Desde hace un tiempo he tenido que aceptar que ustedes dos son unos idiotas. Son geniales en muchas cosas. Pero también idiotas, y van a hacer idioteces.

—Muy sabio de tu parte —comento tras un sorbo de café.

—No, yo también soy una idiota —dice sonriendo—. Pero sí la hiciste con Silvia, Guillermo. La hiciste bien fea.

De repente pienso en Aneth y busco mi celular. Laura me lo alcanza. Llamo a mi compañera varias veces, pero no logro comunicarme.

—¿Algo malo? —me pregunta Laura al ver mi desesperación.

—Me preocupa Aneth. ¿Puedes llevarme a la comisaría?

Camino a la comisaría, me comunico con Cota. Me informa que la última vez que habló con Castillo fue ayer, quizá un par de horas después de que abandonara la comisaría, luego del interrogatorio. Iba camino a Ipales, tras la pista de una mujer policía llamada Melissa Ramos, quien había sido hallada muerta algo más de un año. Me recuerda que todavía es temprano y que ella no acostumbra llegar a estas horas.

Pienso que Castillo ya debe haber regresado de Ipales y que estaría trabajando las pistas desde su apartamento, al lado de su hija. Aunque tengo algo de preocupación, estoy harto de la actitud que ha asumido durante la investigación, ocultando datos, haciendo las cosas por su cuenta. Así que le pido a Laura que me deje allí.

Al fin, llego a la puerta del apartamento de Castillo, adolorido. Mis lesiones, que habían mejorado apenas, pero mejorado de todos modos, ahora las siento como si las acabara de sufrir. Comienzo a tocar la puerta y a llamar a mi compañera. Mi voz sale con cierta severidad. No entiendo por qué se ha desintegrado el equipo que éramos. El temor vuelve mi irritación algo más punzante. No reparo en el ruido que provoco, solo quiero que me abra la puerta. En efecto, escucho una puerta abrirse, pero no es la de Aneth, es la de una vecina.

—¡Oiga! ¿Qué le pasa? —me increpa—. ¿Quiere que llame a la policía?

—Señora, no tengo tiempo para esto —sentencio y continúo llamando.

—¡Grosero! —grita y la veo llamar por el celular—. ¡No se atreva a salir corriendo ahora!

Ojalá y pudiera correr, pienso. Y luego escucho mi teléfono timbrar. Ambos hacemos gestos de extrañeza. Miro la pantalla. El número que aparece no lo tengo registrado. Lo llevo a mi oreja, manteniendo la mirada en sus ojos.

—¿Sí? —pregunto y veo a la mujer mover con lentitud el teléfono.

—¿Inspector Guillermo Goya? —pregunta, su voz resonando por el pasillo y a través del teléfono.

En ese momento veo el rostro de una niña pequeña asomándose entre sus piernas.

Es Valeria.

La mujer me invita a pasar. Se llama Jazmín. Hace dos años comenzó a alquilar este apartamento y no demoró mucho en hacerse amiga de Castillo. Es un rasgo que he ido descubriendo en ella, que no sé bien cómo describir, pero hace que las personas se sientan cómodas en su presencia, sin mucho esfuerzo. Aneth se gana tu confianza en poco tiempo, a pesar de no ser una persona extravertida. Y retribuye esa confianza con honor y lealtad, como pocas personas. Entre las cuales no puedo incluirme.

—Ani me dejó su número, inspector —me informa mientras me acerca un vaso de agua—, en el caso de que viera algo raro en su apartamento.

—Ella había anticipado visitas no deseadas —comento con preocupación, pensando en voz alta.

Estamos sentados en la cocina. Ella está preparando comida. Para el almuerzo, supongo. Hay un televisor prendido. Un vocero de Terra hace unas declaraciones, desvinculando a la empresa de las acciones «condenables» de Demetrio Bonilla y Henry Parra.

Jazmín parece menos nerviosa, pero todavía algo la mantiene tensa. Quizá algo que todavía duda si decirme o no. Valeria está sentada del otro lado, jugando con el celular de Jazmín.

—¿Cuándo se fue? —le pregunto.

—Ayer en la tarde. Me pidió que cuidara a Valeria porque tenía que resolver unas cosas fuera de la ciudad. Que a lo mucho estaría aquí para almorzar con nosotras.

Miro el reloj. Pasaban de las nueve. De las ollas comienza a desprenderse un aroma agradable.

—Estoy segura de que debe de llegar pronto —dice, pero sus ojos parecen decir lo contrario.

Agradezco su hospitalidad y me levanto de mi asiento para despedirme.

—Inspector, una última cosa —me interrumpe Jazmín, adivinando mis intenciones.

La mujer se levanta y se acerca a la entrada de la cocina, donde hay un colgador para llaves.

—Aneth me dejó solo tres instrucciones en su ausencia: cuidar a Valeria, llamarlo en caso de problemas y darle esto cuando lo viera.

Jazmín me muestra un conjunto de llaves.

—Son de su apartamento.

37

LA LIBRETA DE ANETH

VALERIA ENTRA CORRIENDO APENAS Jazmín abre la puerta. Va directo al sofá de la sala a tomar un juguete. Cerca observo dos objetos que llaman mi atención, pero decido echar un vistazo al apartamento primero. La mujer me observa desde la entrada, aunque ya ha cerrado la puerta. Mientras me muevo por el lugar, solo comenta lo ordenada que es Aneth. En efecto, nada parece fuera de lo normal. Cada cosa está en su sitio: los libros de su pequeña biblioteca están bien colocados, lo mismo las fotos; las camas, tendidas; las ventanas, cerradas. Ningún signo de forzamiento ni de alboroto. Solo las cosas que he observado en el sofá no parecen ocupar el espacio designado. Me acerco.

Veo unas esposas encima de lo que parece una libreta de apuntes. Me llevo las manos a la cintura, no sin cierta consternación.

—No son las de Aneth —dice Jazmín.

Era imposible no pensar en las esposas que habíamos encontrado en la escena de Amatista y la de Rondón, ni en las palabras de Parra cuando describió el cuerpo de Mariana Pombo hallado en el depósito de Terra.

—¿Sabes cómo dio con estas? —pregunté, tomándolas con mi mano menos lastimada.

—Aneth me contó que hace muy poco estuvo con Vale en el parque, como suele hacer en la tarde. Pasó un susto terrible porque la niña se le perdió por un momento. Estuvo a punto de pedir ayuda. Por fortuna reapareció justo entonces y sostenía eso en las manos.

Me siento en el sofá, con una extraña sensación de derrota y más preguntas que respuestas. Muchas más. Tomo la libreta y me dispongo a revisarla. No obstante, por alguna razón mi mirada se ha fijado en la biblioteca al otro lado de la sala, en una foto en la que no había reparado. Me voy a levantar, pero por un momento el dolor me lo impide. Valeria se me acerca y me toma la mano, como si quisiera ayudarme. El gesto me conmueve insospechadamente, como si todavía no hubiera entendido del todo que se trata de la hija de mi compañera. Alcanzo a distinguir rasgos de ella en la niña. Siento un dolor en el corazón.

Me guardo las esposas y la libreta y vuelvo a intentar levantarme, esta vez con éxito. Acaricio el cabello de la niña con afecto. Me vuelve a tomar la mano. Caminamos hasta la biblioteca. La suelto un momento para ver la foto que me había llamado la atención. Es la misma que había visto en el apartamento de Linda Amatista. Valeria está al tanto de lo que observo.

—Tía Linda y tía Mariana —dice.

La miro y sonrío. La pequeña se ríe y se va corriendo con Jazmín. Yo saco la foto del marco, para observar si tiene escrito algo detrás. Así veo el mismo triángulo que mi compañera me había mostrado en su antebrazo el día anterior, casi con rabia; el mismo que vi en el de Linda y que, según el testimonio de Parra, también estaba tatuado en el de Pombo. Me guardo la foto y saco la libreta.

En ella, en breve advierto lo que parece una bitácora o itinerario de las averiguaciones que realizaba Castillo. Algunas conmigo, pero la mayoría por su cuenta. Me voy a las últimas entradas, pues son las más recientes. También menciona a Terra.

Por último, solo veo tres apuntes y entiendo que tampoco estos objetos —la libreta y las esposas— han sido dejados aquí por azar, por la misma razón que Jazmín tenía mi número y las llaves del apartamento de Aneth.

Los apuntes son:

Lucio Mata: pruebas, fotos.

Melissa Ramos: ¿asesinato?

Ipales.

38

ANETH EN LA ANTIGUA CABAÑA

Aneth despertó sobre un colchón desnudo y polvoriento, con la sensación de que la cabeza le iba a explotar de dolor.

Al principio pensó que estaba deshidratada y que tenía que hacerle el desayuno a Valeria.

Pero aquella sensación duró muy poco, pues su memoria volvió a reproducir los últimos recuerdos conscientes y fue como si hubiera sonado el disparo de partida en una competencia de atletismo. Su sacudida, no obstante, solo sirvió para darse cuenta de que estaba amarrada de manos y pies. Le habían quitado las zapatillas.

Estaba en una suerte de cobertizo rectangular de no más de cinco metros en su lado más largo. Quizá fue en algún momento algún tipo de depósito. Todo era de madera. A través de las ventanas apenas puede ver el gris del cielo. Había dos tipos más. Uno sentado en una mesa pequeña del otro lado. El otro parado en la entrada, saludándola con la mano. Aneth lo reconoce como el que vio en el bar, el asesino del fotógrafo de La Tribuna.

—Se despertó —dijo el tipo y el otro volteó hacia ella un momento, pero enseguida volvió a lo que hacía.

Se acomodó y sentó como pudo, apoyándose contra la pared. El que la observaba tomó un pote de la mesa y se lo acercó a las manos. El gesto solo avivó la ira de Castillo. De repente, gritó varios insultos al hombre y comenzó a pedir ayuda a toda voz.

—No hay una sola alma en kilómetros —dijo el tipo, riendo.

Sin saber qué hacer o responder, Aneth cerró los ojos y recostó la cabeza en la pared.

—¿Así que ustedes son los que están detrás de todo esto? —preguntó luego, más movida por la frustración que por una estrategia.

Los otros guardaron silencio.

—¿Quién de ustedes, malditos, se acercó a mi hija? —increpó luego, buscando provocar cualquier reacción en ellos.

Los tipos se miraron, pero Aneth no pudo leer sus intenciones. Entonces sintió una descarga de agua fría empapar su rostro.

—Será mejor que te portes bien, bebé —dice el hombre, acercándose más a ella—. No sé por qué el jefe te quiere con vida, pero si te portas mal quizá nos portemos mal nosotros también y nos dé por ir a buscar a tu hija y matarla.

Todo este tiempo, un pensamiento permanecía constante en la mente de la inspectora. «Ustedes no saben de lo que soy capaz».

Aneth lanzó sus piernas juntas hacia los tobillos del hombre con el cabello rapado, quien se había concentrado demasiado en parecer amenazante, subestimando el tamaño y la fuerza de las extremidades de Castillo. Elevado en el aire, soltó una voz aguda de sorpresa. No bien cayó al suelo, Aneth volvió a usar sus piernas, pero esta vez contra el rostro del hombre, quien ahora soltaba un alarido.

—¿Qué tal se siente eso? —le preguntó la inspectora.

—¡Maldita zorra! —escuchó gritar al cabeza rapada, quien estaba de rodillas escupiendo sangre.

Se puso de pie, lleno de ira, y trató de atacarla, pero lo detuvo su compañero.

—Recuerda —dijo—. El jefe la quiere intacta.

39

IPALES ES EL LUGAR DE NACIMIENTO DE TERRA

—ESTABA por dejar el trabajo en el club —me cuenta Orlando Paz—. Pero entonces ocurrió lo de Linda y pensé que quizá podría saber algo sobre su muerte si continuaba yendo.

Vamos en su auto, un SUV de la década pasada en buen estado. Justo después de dejar el apartamento de Castillo recibí una llamada suya y me pasó a buscar. Antes de partir, le pedí a Jazmín que me llame en cuanto llegue Aneth.

—Creo que el hombre que mató a Linda —me revela— es el dueño de la constructora Terra.

Estaba seguro de que diría eso.

—Aníbal Aristegui —concluyo.

Paz toma una carpeta del tablero y me la acerca. La abro y veo varios recortes e impresiones de distintos diarios. Todos referentes a la empresa Terra, al sindicato, a huelgas de obreros, a construcciones sin terminar... El grandulón le había dedicado tiempo a la búsqueda. En una de las impresiones, veo una noticia vieja sobre la inauguración de una plaza pública en Ipales. La nota elogia a la empresa Terra por la rapidez y transparencia del proceso, siendo aquella la tercera obra pública que concluyen en un tiempo menor al estimado.

Y, por supuesto, a mi mente vienen los últimos apuntes de mi compañera.

—Apostaría —dice Paz— a que Terra y algunos sectores del sindicato de obreros están haciendo alianzas criminales. Es lo que se dice en el club. Y, por lo que he podido recopilar, me parece que tratan de monopolizar las contrataciones de Sancaré. Teniendo a las personas correctas, pueden sabotear a través de paros y acciones por el estilo. Es solo una de muchas formas de asegurar contratos. Linda debió de estar investigando en secreto esa red.

De mí sale un sonido que delata mi escepticismo.

—¿Crees que es basura de un instructor de gimnasio? —me interroga, ofendido.

—No —respondo—. Pero creo que las cosas son un poco más absurdas de lo que parecen.

—¿De qué diablos estás hablando, Goya?

—¿Alguna vez Linda mencionó algo sobre una amiga desaparecida?

—No exactamente. Sí dijo que tenía tiempo sin saber nada de una tal Mariana. Que le parecía extraño, pero no mucho más.

Hago silencio. Dudo.

—¿Qué? —pregunta Paz.

—No te debería decir nada de esto, pero en este momento necesito toda la ayuda que pueda conseguir.

—Nunca le he dicho esto a un poli, pero puedes confiar en mí.

—Linda sufrió la misma suerte que Mariana Pombo. Creo que Linda intuía que algo le había ocurrido a su amiga; y eso, de alguna forma que todavía desconozco, la llevó a cruzarse en el camino del asesino… Y ahora temo que lo mismo le pueda ocurrir a mi compañera.

—¿Aneth está desaparecida?

Hago un gesto ambiguo.

—¿Crees que esto tenga que ver con ellas? ¿Como algo personal?

Guardo silencio, mi cara dibuja un «no sé» tan grande como mi frustración. La verdad es que no sé mucho más que el mismo Orlando. Pero no quiero reconocerlo ante él.

—Según esto —digo, mostrando una de las copias—, Terra ha operado en Ipales también.

—No solo ha operado allí. Es donde empezó a operar. Es donde nació Aníbal Aristegui —me informa Paz.

En mi mente, las cosas empiezan a encajar, aunque todavía no pueda precisarlo.

—¿Qué tiempo demora llegar hasta Ipales?

—Unas tres horas. Algo así.

—¿Sabes dónde están las oficinas de Terra? —le pregunto.

—Esperaba que me preguntaras eso.

40

ARISTEGUI EN SU IMPERIO

De pie, mirando la ciudad a través de las grandes ventanas de su oficina, en el último piso del centro de operaciones de Terra, Aníbal Aristegui pensaba en una vida de obstáculos superados y enemigos vencidos.

Todavía podía recordar con nitidez aquella tarde en la que su padre le anunció a la familia que perderían la pequeña ferretería que les daba sustento. Iba a ser absorbida por una gran franquicia en crecimiento y que le había ofrecido un trato injusto. Su padre lo sabía. Pero no estaba dispuesto a luchar. Se sentía derrotado de antemano, abrumado por la cantidad de esfuerzo que iba a requerir mantener la tienda. Todo se lo dejaba a Dios.

Por muchos años el viejo fue objeto de su odio más recalcitrante, fuente de casi todos los resentimientos de Aníbal. Pero con el tiempo aprendió a agradecerle, pues ese mismo rechazo que le producía la figura de su padre en cada fibra de su ser lo llevaría a lograr todo lo que quiso. Y lo que todavía le faltaba. ¿Quién pensaría que el odio y la violencia pudieran rendir tantos frutos?

—Señor, su café está listo —anuncia una mujer por el intercomunicador.

Aníbal se acerca a su escritorio y le pide que se lo traiga. En breve, una joven entra a la oficina y le entrega la taza en sus manos.

El hombre vuelve a acercarse al ventanal, sorbiendo de un *espresso macchiato* hecho de granos recién molidos, traídos de la India.

Pero para poder seguir disfrutando de momentos como este, para que el trabajo de toda su vida continuara intacto y próspero, Aníbal sabía que los inspectores debían colaborar, ser razonables, tomar consciencia de la situación en la que se encontraban y de sus propias capacidades.

Qué curioso resultaba que alguien pudiera ser capaz de enseñarte algo sin la intención de hacerlo. Así, su padre le enseñó dos cosas importantes: si quieres algo, nadie va a traerlo a tus manos más que tú mismo; y, paradójicamente, la voluntad solo tiene sentido si se es parte de algo. Su padre era responsable de una familia, pero ante los embates del destino solo supo lamentarse de su propia suerte y aislarse en la tristeza y la amargura. En cambio, esto mismo le enseñó a Aníbal que la voluntad y la familia eran lo único que importaba, lo que daba fundamento a todo lo demás.

La verdadera tragedia —la puñalada en la espalda, por así decir— era que había cosas que ni la más férrea voluntad podía lograr; que la familia misma podía volverse algo ajeno. Ahora, cuando comenzaba el ocaso de su existencia, sabía que la vida misma era eso: poder para crear y para destruir.

—Señor —volvió a hablar la asistente por el intercomunicador—, el inspector Guillermo Goya está en la recepción. ¿Le digo que está en una reunión?

—Hágalo subir, por favor.

41

GOYA AMENAZA A ANÍBAL ARISTEGUI

La nueva sede de Terra, en Sancaré, pronto cumplirá dos años de inaugurada. Todo el último piso del edificio es considerado la oficina de Aristegui. La zona de los ascensores da directamente a una recepción, ubicada en el medio de las dos alas de la planta. El ala izquierda está dedicada una parte a salones de reuniones y otra al dispositivo de seguridad destinado solo a ese piso. Casi todos los espacios son separados por cristales, tan transparentes y limpios que puedes tropezar si no vas con cuidado.

Antes de pasar, una de las chicas nos informa que Aristegui solo me recibirá a mí. Orlando me echa un vistazo, como buscando la confirmación de algo.

—Estaré bien —le digo con confianza.

Aunque Aníbal fuera el capo que todos pintaban, la inconveniencia de causarme daño en semejantes circunstancias era demasiado obvia. Paz se sentó a esperar y yo continué.

El ala derecha era la oficina propiamente dicha. Apenas cruzo las puertas de cristal me percato de que cuenta con otra pequeña recepción, atendida, asumo, por su asistente personal. Ahora las paredes no son transparentes. Parecen muros macizos. Todo el aspecto es muy sobrio y sofisticado. Me siento en otra ciudad, en otro país. La chica me saluda con mucha amabilidad y me pide pasar a la oficina.

—El jefe lo espera —me dice.

Entro y siento un aroma a café fresco y también, aunque con menor intensidad, a caoba y eucalipto. Una estancia muy grande, como esperaba, que incluso tiene otras puertas, cerradas en este momento. En un estante hay varias fotos que no alcanzo a distinguir. Cerca hay una mesa baja rodeada de sillones y sofás de muy cómoda apariencia. Todo el piso está forrado con una alfombra gris muy suave y acolchada, cuyo mantenimiento debe ser una pesadilla. Todo el lugar está muy bien iluminado gracias a los ventanales enormes al fondo de la oficina, que ocupan prácticamente toda el área de aquella cara. Más acá, el escritorio del empresario, sobrio y sofisticado, despojado de cosas innecesarias, manteniendo al mínimo los adornos.

—Inspector Guillermo Goya —dice Aristegui—, por fin puedo conocerlo en persona.

No voltea a verme. Está de pie, mirando a través del cristal, como si allá afuera se escondiera el secreto de su propia suerte. Solo la ropa que viste debe costar más que mi auto. Tiene el mismo perfil que su hermano. O acaso es al revés. El tiempo parece haber pasado con más rudeza por Aníbal que por Rafael Lander. Aunque debe ser mayor que yo, se ve en mejor condición física, pero no por una decisión estética o de salud; es el aspecto de aquel que ha tenido que trabajar duro desde temprano.

—Supongo que podría decir lo mismo —le respondo.

No tomo asiento ni me acerco al escritorio. Me paseo por la oficina con parsimonia. Aristegui me observa, pero tampoco se sienta. Puedo sentir la media sonrisa en su rostro, como si yo estuviera más bien contemplando sus logros, materializados en cada elemento de su gran oficina, y aquel hecho le llenara de satisfacción.

—Dígame, ¿a qué debo el placer? —pregunta.

Yo doy un vistazo a las fotografías en el estante. Muchas de ellas, estrechando manos con autoridades de distinto nivel. Otras lo muestran en la inauguración de obras en diversas partes del país. En ninguna veo rastro de un momento familiar. A excepción de una foto, que parece vieja, en donde se ve un Aníbal mucho más joven con un niño que sostiene una pelota de fútbol.

—Ojalá y pudiera decirlo de una manera menos brusca, pero su nombre no ha dejado de aparecer en una investigación que llevo en curso, junto con mi compañera Aneth Castillo. ¿La conoce?

Se ríe a medias.

—No tengo el gusto. Pero cualquier adulto serio con negocios en la ciudad sabe de ustedes. Lamento escuchar que mi nombre aparece en circunstancias más bien vergonzosas. Hace poco tuvimos que hacer un comunicado público aclarando nuestra posición sobre todo lo relacionado a Demetrio Bonilla y Henry Parra.

—Algo escuché —comento con tono indiferente—. ¿Les ocurre a menudo? ¿Eso de tener que hacer comunicados públicos por escándalos?

—Veo que tiene buen sentido del humor —dice a la vez que noto una sonrisa bien marcada—. No, es primera vez que nos vemos en la desagradable necesidad de hacerlo. Pero dígame, ¿en qué clase de investigación me dice que soy mencionado?

—El asesinato de mujeres policía.

Aprieta los labios solo un poco, asintiendo ligeramente, mientras mira hacia el suelo. Su piel rojiza y la falta de cabello dan mayor gravedad a cada gesto y movimiento de su cara. Sus cejas grises y marcadas se tensan un poco, su ceño dibuja tres líneas curvas bien acentuadas en su frente. Por un instante parece que se ha perdido en alguna elucubración, pero de pronto su rostro cambia por completo.

—Le ruego disculpe mi falta de educación —dice—. Ni siquiera le he invitado a sentarse. ¿Desea agua? Quizá me acepte una taza de café.

Con sus manos me invita a tomar asiento mientras él hace lo propio. No he accedido a su oferta del café, pero de igual manera se comunica con su asistente por el intercomunicador y le pide una taza para mí.

Me acerco entonces a su escritorio y tomo asiento. La silla es más cómoda que cualquier silla que haya usado. Ni siquiera cuando fui jefe de la División de Homicidios.

—Escuché en las noticias sobre una oficial encontrada muerta. Algo terrible. Pero no entiendo cómo surge mi nombre en algo así. Nunca conocí a la oficial. No tengo sino un gran respeto por el cuerpo policial. Hasta hemos realizado obras en varias comisarías.

—Hay por lo menos dos oficiales que han muerto según un mismo *modus operandi*, sus cuerpos encontrados en condiciones muy parecidas, con signos que se repiten. Son como las firmas del asesino.

Veo fijamente los ojos de Aristegui mientras hablo. Estos no parpadean, no se desvían. Pretenden significar atención, pero en verdad están desafiándome.

—Uno de esos cuerpos —continúo— fue encontrado en un depósito de materiales de su empresa, en el distrito de Olivares.

La puerta principal se abre. Ninguno de los dos se deja distraer por ello. El silencio de la oficina ensordece. Lo sigo mirando, evaluando su reacción. Escucho los pasos de la asistente acercándose, un sonido muy suave y apenas perceptible.

—Su café, inspector Goya —dice la mujer con una voz como la miel.

—Gracias —replico sin voltear a mirarla.

Aristegui se reclina en su sillón. Coloca sus codos en los apoyabrazos y junta las puntas de los dedos, acercándolos a su boca. Sus ojos ahora se posan en un punto más allá de esta oficina.

—Así que —retomo—, como verá, o bien hay un grupo operando bajo sus narices de manera bastante violenta, o bien es usted mismo quien encabeza las actividades clandestinas, en paralelo a las actividades de Terra.

El hombre vuelve sus ojos hacia mí otra vez.

—No ha probado el café, inspector —me recuerda.

Tomo la taza para no parecer muy involucrado y darle una ventaja emocional que, de ser cierta mi sospecha, ya tiene.

Es un café malditamente bueno.

—Es muy temerario de su parte —interviene, levantándose del sillón— venir a hacer semejante acusación en mi propia oficina, inspector.

Aníbal vuelve al ventanal a observar el exterior. Yo empiezo a perder la paciencia.

—¿Está casado, señor Aristegui? ¿Hijos? ¿Nietos quizá?

Por un momento voltea a verme, pero enseguida vuelve los ojos hacia afuera.

—Aunque el destino me ha bendecido de muchas formas, por desgracia no lo hizo con el don de la descendencia. De tener esposa, sería una mujer infeliz. Mi trabajo me consume mucho tiempo. Y, sin embargo, a pesar de todo, desde muy joven no he hecho más que velar por mi familia.

—¿El intendente de Villablanca?

—Sospecho que no le costó mucho conocer que Rafael es mi hermano. Pero no solo me refiero a él. También a mis padres, mientras estuvieron vivos. Pero claro que el bienestar de Rafa, siendo la única familia que me quedaba después que ellos murieron, ha sido una de mis prioridades. Traté de darle todo lo que necesitaba para que se construyera su propio destino.

—¿Entonces por qué no se presenta con el mismo apellido? Pareciera que no quiere que lo asocien con su persona.

En su rostro aparece un atisbo de exasperación.

—Es un hombre libre de hacer lo que mejor le parezca. Y respeto sus decisiones —dice Aristegui.

—¿Qué estaría dispuesto a hacer si su vida estuviera en peligro?

—¿Qué clase de pregunta es esa, inspector? ¿Ahora me está amenazando?

—Hasta ahora sabemos de tres mujeres policías asesinadas, dos de ellas del mismo modo. Y mucho me temo que mi compañera, Aneth Castillo, pueda correr la misma suerte de aquellas dos oficiales, quienes, por cierto, eran amigas cercanas y compañeras de la academia de Policía.

Veo el cuello de Aristegui acumular tensión, la vena yugular insinuándose al costado; lo mismo su frente. Pero todavía trata de mantener la compostura, la cara de póker.

—Y déjeme dejarle algo muy en claro, Aristegui: usted no es la única persona capaz de hacer lo que sea por las personas que le importan. Así que, si por alguna razón está relacionado o sabe algo sobre el paradero de mi compañera, y si está relacionado con los sujetos que vigilaban a mi exesposa, le aconsejo que no se pase de la raya y que no les cause el menor daño. Porque entonces yo mismo me voy a encargar de quitarle la vida. Y créame, no lo voy a hacer rápido.

Me levanto y pongo la taza con fuerza sobre el plato en su escritorio. Me retiro de la oficina, pero justo antes de salir por la puerta, Aristegui me llama. Me detengo justo en el umbral, sin voltear.

—Inspector —dice—, si en verdad toma en serio sus propias sospechas, lo razonable sería que cuide sus palabras conmigo.

Por un momento considero una posible respuesta, pero no hay más nada que decir. Los dados habían sido lanzados.

42

GOYA EN LA CASA DE LOS LANDER

DESDE QUE LEÍ «IPALES» en los apuntes de Castillo, algo en mí supo que tendría que llegar hasta ese lugar. Hasta ahora no he recibido noticias de Jazmín sobre Aneth, una esperanza que tampoco quise desechar a primeras, pero que ahora parece tristemente improbable, por no decir imposible. A pesar de todo, no podía dejar Sancaré sin antes jugar las últimas cartas que me quedaban. Pero debía ser rápido.

Acababa de jugar la penúltima con Aníbal Aristegui.

Paz se ha ofrecido a llevarme a mi próximo destino. En el camino, pienso en si debí controlarme más con el jefe de Terra, aproximarme sin provocar una confrontación. Solo hago tal consideración porque temo por el bienestar de mi compañera. Pues todas las dudas que albergaba sobre la naturaleza criminal de Aristegui se esfumaron al entrar a aquella oficina y hacer contacto con el sujeto: todos mis instintos se pusieron a la defensiva, las señales de alarma se activaron, aun cuando no había una amenaza palpable. Sus últimas palabras fueron solo la confirmación de que cualquier ventaja que pudiera poseer con respecto a Aristegui, en un escenario de negociación, era solo relativa. En el mejor de los casos.

—Has estado muy callado desde que salimos de Terra —me recuerda Paz.

—Pensando, grandulón. Pensando.

—¿Crees que te vaya a ir mejor con Lander?

—No lo sé. Pero no puedo contar con eso.

—¿Entonces por qué perder el tiempo?

—Es todo lo contrario, Orlando. Trato de ganar tiempo. Si alguno de ellos está metido en esto…

—O ambos…

—Como sea, si les dejo saber que estoy al tanto, quizá se lo piensen un poco más.

—O quizá traten de eliminarte también.

—Eso es lo que quiero. Si yo represento una amenaza, ello pudiera significar la salvación de Aneth.

Llegamos por fin a la residencia del intendente de Villablanca. Le pido a Orlando que me espere en el auto y le informo que es posible que me demore más que antes.

Llamo a la puerta por casi un minuto, aunque no de manera pausada. Entonces me abre la puerta la misma señora que encontré afuera, hace unos días, cuando traje a Simón Lander. No sé si estaba teniendo un mal día, pero no me pone muy buena cara. Me informa que el intendente no se encuentra en la casa.

—Lamento molestarla, señora…

—Olga, inspector —me dice.

—Señora Olga, no quiero molestarla, pero ¿podría comunicarse con él? Es algo urgente.

Escucho la voz de una mujer al fondo.

—¿Quién es, Olga? —pregunta.

—Un agente de la Policía, señora.

La mujer se asoma por la puerta. Es Carlota, la esposa de Rafael. Viste muy casual, con unos *jeans* y una camiseta gris. Lleva un pañuelo en la cabeza y guantes de jardinería. Una tira de cabello cae por un lado de su rostro. Tiene un vaso de agua en una mano. La luz del sol le da directo y todo su aspecto me transmite una inequívoca sensación de simpleza, una simpleza hermosa y encantadora pero no desprovista de cierta ingenuidad.

—¡Inspector Goya! —me saluda con efusión, pero enseguida, en lo que se percata de la muleta y mis curas, se alarma un poco.

—Pero, inspector, ¿se encuentra bien? Olga, ¿cómo no hace pasar al inspector estando en este estado?

—Sí, qué pena…

—Está bien —digo.

—Pase, inspector —me invita Carlota.

Veo una casa muy espaciosa y sofisticada, como sacada de un libro de diseño interior, de esos que suelen ponerse de adorno en casas como esta. Me recuerda un poco a la oficina de Aristegui, pero con un toque que no sé de qué otra forma calificar sino de humano. En todo caso, hay una calidez aquí que está totalmente ausente en el otro lugar.

A medida que me adentro con lentitud en la casa, advierto el sonido de un piano, si bien es un sonido lejano, en una habitación apartada, o acaso en el piso de arriba. No sé si alguien está escuchando música, o si de hecho hay un piano y alguien lo toca. Observo numerosas fotos. Varias son relativas a la carrera de Rafael. Otras, también numerosas, son familiares. En las más antiguas de todas estas reconozco al niño de aquella foto en la oficina de Aníbal. Luego pude reconocerlo en su transformación de niño a adolescente y adulto. Era

Simón Lander. También me daba cuenta de que, en esa línea temporal, algo más cambiaba en él.

Carlota me invita a sentarme en una pequeña sala de estar cercana a la cocina. Del otro lado veo una habitación grande. La puerta está parcialmente abierta y me permite ver libros, un escritorio, papeles apilados encima. Asumo que es el despacho del intendente.

—¿Quería hablar con Rafael? —me pregunta después de tomar asiento.

—Sí. No he tenido tiempo de contactarlo previamente. Sé que es un poco brusco, pero debo hablar con él lo más pronto posible. Es por un asunto delicado.

Digo lo último con un gesto un poco exagerado, no porque la situación no lo merezca, sino porque quiero evitar más preguntas de Carlota, por quien de repente siento algo de pena. Me mira algo asustada.

—Entiendo —dice—. Permítame un momento para llamarlo.

Le digo que por supuesto, que no faltaba más. Antes de retirarse me ofrece algo de tomar, agua, algún refresco, té o café.

—Café estaría muy bien.

Escucho sonidos provenientes del jardín, de pronto algún jardinero; los ruidos que hace Olga desde la cocina. Y el piano a lo lejos. Aparte de eso, todo en la casa es silencio. Me percato que es posible que en semejante vivienda no vivan sino cuatro personas.

En breve aparece Olga con el café.

—¿Y cómo está Simón? —le pregunto—. ¿Está en casa?

Sigo percibiendo algo de incomodidad por parte de ella. Recuerdo mi propia desconfianza al entrar a la oficina de Aristegui y el solo pensar que ella pueda estar sintiendo algo semejante me llena de confusión.

—¿Puede escuchar el piano?

—¿Ese es Simón? —pregunto con sorpresa, a lo que ella asiente.

Sorbo del café y sabe muy parecido al que me ofreció Aníbal, quizá menos fresco.

—Debe haber estado varios años estudiando —comento luego.

—Aprendió solito —replica.

Carlota aparece de nuevo y se sienta.

—Inspector —me dice, hay preocupación en su mirada—, Rafael está en camino. No demora. Pero no parecía muy complacido por su visita. Espero que no esté pasando nada grave.

—Descuide, señora Gutiérrez.

Carlota excusa a Olga con un gesto.

—Mi esposo es un hombre bueno...—afirma calmándose un poco.

—Estoy seguro de que está siendo honesta conmigo.

—Hay tantas cosas ocurriendo en esta ciudad —dice—, no sabe cuántas veces le he propuesto a Rafael irnos a un lugar más apartado. «Pronto», me responde siempre. Y ahora este asunto de las policías que mueren. A veces pareciera que los noticieros no hablaran de otra cosa. Pobres mujeres...

La angustia en la voz de Carlota me crispa la piel. Pareciera querer cargar con el peso del mundo, aun sabiendo lo fútil de su intento.

—Su hijo toca muy bien el piano —comento para apartarnos de la sombra que nos amenazaba. Sonríe con una pureza conmovedora al escucharme.

—No se imagina la alegría que me causa cada vez que estoy haciendo algo en la casa y lo escucho tocar de repente.

Desde que hice la conexión entre el niño en la fotografía de Aníbal y el que aparece a lo largo de varios años aquí, mi interés por Simón Lander no ha hecho sino incrementarse.

—¿Es porque le gusta mucho la música que interpreta?

—La verdad —dice con algo de vergüenza— es que no conozco casi nada de lo que toca. A veces me parece que se lo inventa en el momento.

—¿Le costó mucho aprender?

—Pues de pronto no es tanto eso como el empeño que le pone a algo una vez que se decide.

Las respuestas de Carlota me resultan insatisfactorias.

—¿Qué ocurre, inspector?

—Lo siento, solo me da mucha curiosidad saber por qué le produce tanta alegría las cosas que me cuenta acerca de su hijo. Todavía no creo entenderlo.

Su disposición cambia. No es la de la angustia de hace momentos. Ahora es más bien una nostálgica, a falta de mejor palabra.

—Verá, inspector… Por un tiempo, el porvenir de Simón no parecía muy esperanzador.

—¿Estamos hablando de algo reciente?

—No —dice Carlota y respira con profundidad, como quien está a punto de ver una pirueta peligrosa en el circo—. Quizá se haya dado cuenta de que Olguita no es precisamente una empleada nueva. Lleva con nosotros muchos años. Tantos que conoce a Simón desde que es un niño.

—Algo así me imaginé —repliqué, recordando que la vez anterior Simón la había llamado «Nani».

—La vida es tan compleja y misteriosa… A cada uno pone un peso diferente en los hombros, sin consideración, sin importar que la persona pueda o no cargar con él… A Simoncito le hizo vivir algo muy traumático justo cuando las cosas nos marcan más, la niñez. Fue secuestrado por unos criminales sin compasión que le hicieron vivir un infierno. Y a Olga la vida la puso en la trágica posición de ser quien debía cuidar a Simón cuando fue secuestrado.

—Es terrible lo que me cuenta —digo apenas hallo un espacio para decir algo.

—Olga, la pobre, nunca se ha perdonado por eso y hasta el día de hoy carga con esa cruz. Y Simón…

De pronto mi mente hace muchas conexiones, varias de las cuales todavía no soy capaz de procesar conscientemente. Sin embargo, entiendo por qué siempre algo en él me pareció no encajar.

—Pues —continúa Carlota— Simón tuvo que pasar por un proceso que tomó mucho tiempo para poder reintegrarse en cierta medida a la sociedad y llevar una vida más o menos normal.

—¿Atraparon a los secuestradores?

—Por fortuna, la policía no demoró tanto en encontrar a Simón. Eso gracias al empeño de una oficial en particular, Ida Ramos, que era amiga de la familia y que por desgracia murió en el enfrentamiento que tuvo lugar cuando encontraron a Simón. Pero, para responder a su pregunta, inspector, no, los malditos que le hicieron eso a mi hijo nunca fueron atrapados.

Carlota se detiene para no llorar, para no perder la compostura. En parte, pareciera que necesitaba decir todo esto.

—Mi hijo fue encontrado con vida, pero le quitaron parte de su alma. No se imagina cuán lastimado estaba cuando lo hallaron. Pasó años sin decir una palabra.

La mujer vuelve a callar, pero esta vez no puede evitar soltar unos sollozos. El piano sigue sonando en el fondo. La sección musical es muy pausada y austera, pocas notas que se mantienen sostenidas, pero enlazadas en una armonía muy hermosa.

—Entiendo —le digo, posando mi mano en su brazo— por qué le alegra tanto escuchar a su hijo. No son muchos los niños que logran procesar un trauma con éxito.

Después de decir esto, no obstante, no me siento del todo bien conmigo mismo.

—Le pido disculpas por haberla hecho revivir todo aquello, señora Gutiérrez.

—Está bien, inspector Goya —dice sonriendo—. Podría ser terapeuta.

Guardamos silencio por un momento y entonces se me ocurre otra pregunta más.

—Una última cosa, señora…

—Por favor, llámeme Carlota.

—Carlota, ¿Simón ha trabajado o trabaja con Aníbal Aristegui?

Alcanzo a ver una expresión de incomprensión en el rostro de Carlota, pero su respuesta es interrumpida. Una voz ha irrumpido en la sala de estar, pronunciando un «buenas tardes» con una voz firme, capaz de hacer la diferencia sin necesidad de alzarse demasiado.

El intendente Rafael Lander ha llegado.

43

LA ENTREVISTA CON RAFAEL LANDER

RAFAEL LANDER NO ME SALUDA. Se dirige directo al umbral de su despacho. Parece ajetreado, importunado.

—Inspector... —dice mientras estira un brazo al interior del despacho, invitándome a pasar.

Solo cuando voy a cruzar la puerta estrecha mi mano. Volteo a mirar a Carlota para agradecerle la hospitalidad, pero el semblante de su marido la ha hecho tomar cierta distancia. Lo mira y se retira. Al fondo, se escucha el piano todavía, una sección pesada y solemne.

—¿Qué le pareció el café? —me pregunta como queriendo mostrarse más accesible.

—De los mejores que he tomado. Curiosamente, he probado uno muy parecido en las oficinas de Terra.

—Mi hermano no está nada contento con su visita. Y si le soy sincero, yo no estoy muy emocionado tampoco.

—Admite su parentesco entonces.

—Inspector, nunca lo he negado y tampoco iría tan lejos de decir que lo he ocultado. Solo he decidido usar el apellido de mi madre formalmente, para que no se nos mezcle en historias extravagantes, pero al parecer eso es justo lo que usted está haciendo.

—Señor intendente, ni siquiera ha escuchado lo que tengo que decir.

—Según entiendo, usted cree que mi hermano y yo tenemos secuestrada a su compañera, Aneth Castillo, y que, además, somos los responsables de los recientes asesinatos de mujeres policía. ¿Estoy en lo cierto?

—Pues…

—¿Y todo por qué? ¿Porque yo elijo presentarme como funcionario usando el apellido Lander en lugar de Aristegui?

—No exactamente…

—Yo no quiero cometer su error y asumir cosas que en verdad desconozco. No sé cómo fue su crianza. Pero en mi caso, mi familia hizo muchos sacrificios para que yo pueda estar donde estoy en este momento. Quizá a usted no le parezca mucho, pero para nosotros era impensable que, por ejemplo, mi hermano llegara a ser el dueño mayoritario de una empresa que él mismo creó y que yo ostentara un cargo público de cierta envergadura en la capital. Sobre todo mi hermano, que trabajó desde muy temprano para que yo pudiera estudiar y ser alguien.

Con toda seguridad, Lander estaba plagado de emociones turbulentas, pero que procuraba no expresar. Aunque yo había tomado asiento, él nunca llegó a sentarse tras su escritorio. Estaba de pie, los puños cerrados sobre el mueble. Calló un momento, esperando que el silencio calase profundo en mí, como quien regaña a un niño que ha cometido una falta. Pero nada que pudiera decirme me iba a tranquilizar.

Ya no escucho el piano.

—En este momento, intendente, no me importa la historia que usted mismo desee creer sobre sus orígenes. El único hecho que me interesa y preocupa es que mi compañera no ha aparecido desde ayer en la tarde. Nadie sabe dónde está. Solo se sabe que iba en camino a Ipales, donde casualmente nacen usted, su hermano y la empresa Terra. Hay una niña de tres años esperando el regreso de Aneth, una niña por cuya custodia luchó como no tiene idea. Aneth no pasa más de ocho horas sin ver a su hija. Y, desde que tiene la custodia, no pasa una noche sin ella. ¿Y por qué dejaría a su hija una noche para ir a Ipales? ¿Por vacaciones? No. Va porque sabe que la han elegido la próxima víctima y la única opción que tiene es ir tras la pista relacionada con las policías muertas, entre las cuales, por cierto, se encuentran dos de sus amigas más cercanas. Así que no sé si usted tiene algo que ver en esto, pero estoy seguro de que su hermano sí. No sé qué tan unidos sean ahora. Usted parece un hombre que trata de hacer lo correcto y que sabe que muchas veces eso es lo más difícil. Así que le pido, intendente Lander, que si sabe algo sobre el paradero de Aneth, haga todo lo que esté en su poder para ponerla a salvo…

De pronto siento que todo lo que intento hacer carece de sentido. Furia y resentimiento comienzan a ensombrecer todo el alcance de mis emociones. No vale la pena continuar un segundo más en la residencia de Lander, a menos que quiera causar problemas. Y debo aprovechar cada segundo que mi cerebro sea capaz de tomar decisiones acertadas.

Me levanto del asiento y antes de retirarme volteo una vez más para decir una última cosa.

—Quizá piense que nada de esto puede traer consecuencias negativas para usted. Pero puede estar equivocado.

Me retiro del lugar sin esperar ninguna réplica de Lander, sin esperar ninguna formalidad de Carlota o de Olga, aunque en mi camino de salida no las veo.

Cuando salgo de la residencia, sin embargo, no encuentro a Orlando Paz ni veo el auto. Pienso que quizá sea lo mejor, pues no pienso ir con él para Ipales. Ni con nadie.

Camino un poco, hasta una esquina, solo para hacer más fácil el trabajo al taxi que voy a llamar. Para mi sorpresa, alguien se me anticipa y mi teléfono suena. Es Jazmín.

—¿Estás con Aneth? —digo de entrada.

—No, inspector Goya —me dice con voz de angustia—. Además, la asistenta social y Vicente no paraban de llamar y yo no tenía ninguna razón que darles sobre ella... Aneth tenía una cita hoy con la asistenta. Vicente vino y se llevó a la niña.

—Maldita sea... Bueno, quizá sea lo mejor por el momento.

—Tengo miedo, inspector.

—Yo también, pero voy a encontrarla. Eso tenlo por seguro.

Termino la llamada y enseguida escucho el motor de un auto acercarse vertiginosamente. El sonido me resulta familiar. Es Paz.

—Pensé que ya no te alcanzaba —me dice desde el auto —. Fui a buscar algo de comer.

Paz me muestra una bolsa de papel que contiene un par de hamburguesas y gaseosas.

—Buena idea —le afirmo y me subo.

—¿A dónde ahora?

—A la comisaría.

44

EL RESCATE DEL NIÑO DE LA CABAÑA

El niño volvió en sí, poco a poco. El dolor que sentía en el rostro y otras partes de su cuerpo le impidieron cualquier tipo de sobresalto. Fue como si experimentara un accidente en cámara lenta, ya resignado al inevitable resultado. Apenas era capaz de emitir tenues gemidos de dolor. Mientras estuvo inconsciente, cual fuera la noción que conservara de sí podía resguardarse de la atrocidad que se había cometido sobre su persona. Pero ahora que despertaba la realidad se presentaba tan drástica que borraba cualquier concepción previa que tuviera sobre la vida, por precaria que fuera. Era como si nunca hubiera sido un niño normal al que le gustaba jugar a la pelota en el parque y el chocolate caliente en las noches frías. Como si siempre hubiera estado ahí en esa cabaña, inmovilizado.

De cierta forma, su mente nunca sería capaz de dejar aquel lugar.

Cuando su visión recobró la capacidad de distinguir formas y colores, se percató de que Nena estaba acomodando una soga. La mujer se había quitado el saco y la camisa que tenía antes. Solo una camiseta blanca cubría su torso, transparentada por el sudor que cubría su piel y que la hacía brillar con esa luz particular y propia de cuando comienza a caer la tarde.

El niño creyó ver una sombra proyectarse en el suelo y miró hacia una de las ventanas, pero no había nadie.

—No te preocupes —escuchó decir a Nena—. Todo terminará pronto.

De alguna forma, él sabía lo que eso significaba y su temor aumentó. Pero en algún punto algo debió pasar, algo debió quebrarse, pues sus emociones se bloquearon y ya no sintió nada, ni temor ni alegría.

Acaso por eso apenas se sobresaltó cuando escuchó varias detonaciones, los vidrios de las ventanas quebrarse y caer en el suelo, la madera despedazarse al ser atravesada por balas de rifles y pistolas.

Vio entonces a Nena de rodillas, quejándose de dolor, tratando de ponerse de pie. Vio a varios hombres entrar armados, seguidos de uno que entra caminando pausadamente, desarmado. Alguien a quien reconoce de inmediato y cuya visión devuelve algo de sensibilidad a su alma.

Este fue directo hacia la mujer. El niño lo ve luego colocarse encima de ella, inmovilizando sus brazos con las rodillas.

Entonces lo vio descargar en Nena toda su furia. Vio el rostro del hombre salpicarse de sangre y lo vio detenerse de repente. Luego lo vio levantar el rostro con los ojos cerrados y respirar hondo. Entonces el hombre volteó hacia él y le sonrió con estoicismo.

—Sáquenlo de aquí —le ordena a los otros.

Mientras lo retiraban, el niño todavía podía escuchar los ruidos de la violencia del hombre y los gemidos moribundos de Nena perdiéndose en el rugir de la brisa que zarandeaba los árboles.

45

EL ARTÍCULO PERIODÍSTICO QUE NO SE PUBLICÓ

Por el retrovisor puedo ver el sol en lo alto del horizonte marítimo, poco a poco descendiendo entre nubes finas y largas, mientras me adentro en las montañas hacia Ipales.

Dejé a Orlando Paz disgustado por no haberle permitido acompañarme. No dudo que podrá serme de mejor ayuda si se queda en la ciudad. Antes de dejar la comisaría, me alcanzó Sotomayor. Estaba furioso porque tanto Aníbal como Rafael habían llamado, por separado, a su oficina, cada uno con una queja bastante similar sobre mi persona. Por si eso fuera poco, me había visto llegar con un sospechoso.

«Tú y Castillo me están colocando en una situación muy comprometedora», me dijo. «No sé qué tanto más pueda interceder por ustedes». Aparentemente, la amistad entre Sotomayor y el alcalde de Sancaré era lo único que nos mantenía fuera de la estadística de desempleo. Por suerte, el comandante también había sido testigo del calvario que significó para Aneth ganar la custodia de Valeria. Así que cuando le expliqué lo que su ausencia le estaba costando en relación con su hija, los apuntes que me había dejado y el probable vínculo de Rafael y Aníbal, Sotomayor entendió de inmediato que la situación era delicada.

«Puede que sea la última vez que me puedo jugar el pellejo por ustedes», concluyó él. Antes de partir, le expliqué la elevada probabilidad de que varios elementos del cuerpo policial formaran parte de la conspiración, que si, llegado el momento, necesitaba apoyo, él tendría que asegurarse de mantener el operativo entre agentes de la mayor confianza. Asintiendo, se apoyó en el marco de la puerta con mucha seriedad.

«Encuéntrala, Goya», fue lo último que dijo antes de volver a la comisaría.

Cuando llego a Ipales, la paleta de colores del atardecer todavía adorna el cielo. Entre los lugareños se murmura sobre el asesinato reciente de un fotógrafo corresponsal de un diario local llamado La Tribuna. También se habla sobre la principal sospechosa, una mujer por encima de la estatura promedio, de complexión atlética y cabello oscuro.

Los rumores me ponen en dirección de dicho diario justo cuando empieza a oscurecer y la neblina se vuelve una presencia común a través de las calles empedradas.

En las oficinas de La Tribuna hablo con el director, un tal Bruno Gómez, un hombre que estira las palabras al hablar como si estuviera siendo entrevistado para un documental. Después de unos momentos hablando con él, entiendo que el diario es más bien del tipo amarillista, de los que en la primera página colocan una foto grotesca de un cadáver y en la última alguna chica voluptuosa que cubre sus carnes con la menor cantidad de tela posible; muerte y sexo. Y entre ambos, noticias estrafalarias, opiniones radicales, avisos de todo tipo y más rumores. Todo lo cual no me resulta alentador en un principio. Si una pista había traído a Aneth hasta aquí, quedaba por verse su veracidad. No obstante, cuando hojeo algunos ejemplares pasados en la oficina de Gómez, tengo por seguro que tienen un olfato por lo escandaloso y lo grotesco: si se trataba de un crimen, cuanto más brutal su naturaleza, mejor. Y, por desgracia, el caso de Linda Amatista podía ajustarse a la perfección a semejantes criterios. Todo indicaba que lo que le sucedió a Mariana Pombo también. De manera que si algo parecido había ocurrido en Ipales, por seguro habrían tratado de cubrirlo.

Mi perspectiva optimista se ve reforzada en lo que revelo a Gómez el propósito de mi visita y escucho sobre el fotógrafo asesinado, Lucio Mata. La descripción que da de la mujer que vino a verlo anoche se ajusta perfectamente con la de Aneth. En estas latitudes, no sé en quién puedo confiar, y eso también es asumiendo una perspectiva optimista. Por ello, no revelo mi conexión con Castillo, mucho menos su nombre.

—Mata —me dice— era un tipo muy arrogante y desobediente. Las ganas de despedirlo no me faltaban. Sin embargo, era quien traía las mejores tomas. Hace un poco más de un año, entró una tarde a mi oficina con una teoría algo extravagante sobre un hecho que había ocurrido aquella misma semana, y que él mismo había cubierto. Se trataba de un accidente de tránsito bastante grave a cuyo sitio, de hecho, él había sido el primer reportero en llegar…

—¿Sabe cómo se enteró tan rápido? —le pregunto.

—Era ingenioso. Usaba su propio dispositivo para recoger la frecuencia de comunicaciones de la Policía. Como le decía, había ocurrido un supuesto accidente de tránsito en el cual había muerto una mujer que, según se supo luego, era oficial de la Policía. Un auto tipo sedán se había estrellado contra un poste de luz que terminó cayéndose en algún punto de la carretera que se adentra todavía más en las montañas. El auto venía de bajada, sin embargo. Debió venir a muy alta velocidad, a juzgar por las fotos que el mismo Lucio tomó. Casi toda la trompa del auto había sido aplastada. Aun así, y esta era la versión de Lucio, la mujer no parecía haber muerto a causa del accidente. Lucio tuvo oportunidad de tomar fotografías bastante detalladas y explícitas del auto y del cadáver. Para empezar, la mujer estaba desnuda dentro del vehículo. Luego, la cantidad de hematomas y heridas que cubrían todo su cuerpo parecían más propias de un accidente en el cual el auto queda hecho añicos, de esos en los que se sale de la carretera y cae por el risco dando vueltas. En cambio, en este accidente había ocurrido un único golpe, de frente. Para hacer todo más sospechoso, el volante del vehículo tenía una bolsa de aire que no se había activado con el impacto.

—Entiendo.

—Lucio además había hurgado un poco más en el asunto. La mujer, que como le dije fue policía de Ipales, según su familia, había estado varios días desaparecida. Trataron de hacer la denuncia correspondiente ante la misma comisaría para la cual trabajó su hija, pero no los tomaron en serio. Lo cual, con todo respeto, no me extraña. Una vez me robaron un celular y logré dar con el paradero de los que lo hicieron. Llamé a la policía para notificarles y ¿sabe lo que me respondieron?

—¿Qué? —pregunté, aunque ya me lo temía.

—«Vaya a buscarlos entonces», fue lo que me dijeron. Por eso, aunque la historia de Lucio era algo rebuscada, le presté atención. Además, se podrá imaginar la visibilidad que semejante historia podía darle al diario.

—¿Y qué sucedió al final con la historia?

—En resumidas cuentas, Lucio creía que el accidente era un montaje para encubrir otro tipo de crimen. Yo le di luz verde para hacer la historia, si él mismo se encargaba de escribirla. Y así lo hizo, escribió un texto bastante elocuente que, acompañado de sus fotografías, era bastante prometedor. Sin embargo, en la reunión que hacemos antes de imprimir había cambiado de parecer repentinamente con respecto a su versión de lo ocurrido. Claro que era demasiado arrogante para ser honesto al respecto, así que empezó a decir que todo era una broma, algo que se había inventado y que solo quería ver qué tan tontos éramos. Fue la vez que estuve más cerca de despedirlo, y tuvimos una pelea en plena reunión porque ya él había decidido que no publicaría su reportaje, por más que yo le ordenara lo contrario. Después de aquel día, nunca más quiso tocar el tema. Apenas cualquiera de nosotros mencionaba algo remotamente relacionado, él cambiaba el tema o solo se retiraba. Lo que me confirmó que toda esa escena sobre jugarnos una broma con la historia de la accidentada era falsa.

—Hasta se podría pensar que lo hicieron cambiar de opinión.

—Yo mismo consideré esa opción. Y entonces me pregunté qué tanto valía la pena arriesgar quién sabe cuánto por algo cuyo beneficio era igual de incierto. No tenemos los recursos para tomar semejante clase de riesgo.

—Quizá fue lo mejor —le digo.

Tomo entonces la última edición de La Tribuna. En la portada veo a un tipo de unos treinta y dos años. Su apariencia, corte de pelo y ropa, sugieren un interés en vida por parecer sofisticado, ir a la moda. Un disparo en la mejilla y dos en el pecho, sin embargo, parecen una carcajada del destino a las aspiraciones del sujeto. Ese era Lucio Mata, abatido en el suelo. Irónica suerte que haya terminado retratado así, como él retrató a tantas otras personas que ya no eran personas, sino materia muerta y en descomposición. O, quién sabe, acaso hubiera preferido esa postal a muchas otras, menos impactantes y espectaculares.

—¿Recuerda cómo se llamaba la mujer policía? —pregunto, aunque sé la respuesta.

—Melissa Ramos —responde Gómez.

—¿Sabe dónde puedo ubicar a la familia?

46

TRAS EL RASTRO DE MELISSA RAMOS

En alguna parte, Bruno Gómez consiguió la dirección que, en aquel entonces, registraron sobre la familia de Melissa Ramos. Él no sabía si seguía siendo la misma. Ni siquiera sabía si seguían en Ipales, o si estaban vivos siquiera. Pero no quiero arriesgarme a solicitar información en la comisaría local. Aunque la pista que sigo es minúscula y su rastro fácil de perder, al menos tengo un referente concreto. Y si bien existe la posibilidad de que no me lleve hasta Castillo, es lo único con lo que cuento. No puedo arriesgarme a perderlo exponiéndome a policías corruptos.

Aunque la luna seguramente brilla en alguna parte, la noche se vuelve oscura y la neblina da lugar a la niebla tupida. El frío y la oscuridad exponen las vulnerabilidades de mi mente y tengo que redoblar mis esfuerzos conscientes para no ceder ante la desesperación, la frustración, la rabia; para no pensar en cuánto desearía un trago de licor o el ensueño del opio.

Lejos del centro de la ciudad, justo antes de que las zonas pobladas se dispersen en el mapa montañoso, espero encontrar el domicilio de los Ramos. Llego a algo parecido a una urbanización. Las viviendas son pequeñas. La mayoría de una sola planta. Deduzco que el callejón que busco se pierde entre espacios estrechos a donde no puedo llegar con el auto, así que decido dejarlo en una suerte de plazoleta cercana. Los perros ladran a la distancia, así como el sonido lejano de alguna moto a gran velocidad. No hay gente en las calles. El frío los tiene a todos guardados. A medida que me adentro a pie por las calles, me llegan las voces desde el interior de las casas, algunos jugando dominó o cartas, otros ven televisión, otros comen. Y pensar que esta es nuestra vida, la desesperación y la tranquilidad tan cerca una de otra.

Por fin llego a la dirección señalada, una fachada que no se ha vuelto a pintar en algo más de un año, con cortinas corridas, de tela gruesa, que no me dejan ver si hay luz en el interior. Me acerco a tocar la puerta, el tobillo lastimado me da una punzada.

Toco tres veces la puerta, en el espacio de un minuto, supongo. He dado las buenas noches y me he identificado en un par de ocasiones. Algún rostro se ha asomado en las ventanas vecinas. Se me ocurre preguntar a alguno si aquí sigue viviendo alguien de apellido Ramos, pero justo entonces escucho la puerta abrirse a medias. Un rostro se muestra. Un hombre rayando los setenta años, al que casi no se le ven las cejas, con poco cabello pero bastante crecido, blanco con esa tonalidad amarillenta que a veces toman las canas en ciertas personas. Su rostro es de suma desconfianza.

—¿Qué quiere? —pregunta con una voz grave y carrasposa, como la de un fumador crónico—. ¿Quién es usted?

—Buenas noches, señor. Soy el inspector Guillermo Goya de la Policía de Sancaré.

—¿Qué hace un poli de la capital por aquí a estas horas?

—¿Este sigue siendo el domicilio de la familia Ramos?

El hombre cierra la puerta. Maldigo mi torpeza y me vuelvo a acercar.

—Señor —digo mientras sigo tocando—, por favor, solo necesito hacerle unas preguntas.

—En estos momentos lo estoy apuntando con un rifle del otro lado, inspector. Tengo derecho a defenderme y defender mi propiedad, así que no se le ocurra seguir molestándome.

Dejo de tocar la puerta y me alejo un par de pasos.

—Caballero, no tiene por qué alarmarse, no vengo a causarle problemas.

—Pues ya lo está haciendo —replica—. Le advierto, poli, no he tenido un buen día… Carajo, no he tenido un buen día en mucho tiempo y no me faltan ganas de tirar del gatillo. Ya no me importa lo que me pueda pasar.

Se me hace evidente que el hombre ha estado bebiendo. También que era familia de la policía muerta. Si era cierto que habían tratado de denunciar su desaparición, días antes de ser encontrada en ese auto estrellado, muchas serían las preguntas que les quedaron sin responder sobre todo el asunto.

—Melissa Ramos —digo—. Solo quiero hacer unas preguntas sobre Melissa Ramos. Han estado ocurriendo cosas muy extrañas en Sancaré también.

No escucho ninguna réplica del otro lado. O bien está a punto de dispararme, o bien tengo una oportunidad para ganar su atención.

—Y tengo una teoría personal sobre lo que le ocurrió a Melissa… Creo que fue asesinada por alguien que, o bien es muy poderoso, o bien conoce gente muy poderosa. Tal vez algún sicario de una banda criminal que en aquel entonces apenas estaba en sus inicios.

—Poli de mierda, ¿no me está escuchando? —exclama el hombre, ahora con un tono diferente en su voz, un tono que sugiere una terrible turbulencia emocional—. Es la última advertencia que le doy. Le juro que voy a disparar si sigue…

Para bien o para mal (lo segundo, con más probabilidad) he vivido lo suficiente para saber que un tipo como él es, en el fondo, una buena persona. Una buena persona que ha tenido que sufrir cosas terribles, pero que no tiene la intención de herir a nadie. Cuando alguien así hace ese tipo de amenaza, en estas circunstancias, no lo dice en serio.

—La misma gente ahora ha secuestrado a mi compañera…

—¿Así que ahora sí les interesa lo que le sucedió a mi hija? Solo cuando les afecta personalmente es que quieren hacer algo, ¿no?

—Mi compañera deja una niña de tres años sola en Sancaré —concluyo—. Sé que le fallamos cuando más nos necesitó, señor Ramos, pero quizá su ayuda me permita ahora hacer justicia a Melissa también.

Callo y me parece que estoy en un pueblo fantasma. Apenas puedo escuchar un tenue carraspeo provocado por una brisa suave que arrastra algunas hojas secas, toda la escena escasamente iluminada por un solo poste de luz, el único cercano que funciona y bajo cuya luz se posa un gato callejero, espectador de mi incertidumbre.

Entonces escucho la manija de la puerta y el sonido de alguna clase de seguro. La puerta se abre un poco y nadie se asoma, nadie dice nada. Camino hasta la entrada y la abro un poco más.

—Entra y cierra —dice el viejo, de espaldas, dando pasos indecisos. Se para un momento para dejar el rifle y parece que se cae, pero enseguida recupera el equilibrio.

Lo veo dirigirse a la cocina. La única luz en el interior es la de una lámpara al lado de un pequeño sofá. El televisor está prendido, aunque apenas se escucha. La luz de la cocina se prende e ilumina un poco más la pequeña vivienda. Hay un pequeño estante con fotos, en casi todas aparece Melissa. En algunas sale solo su padre con quien, asumo, sería su pareja. Solo veo una foto de Melissa en su infancia. Está con una mujer que da la espalda a la cámara, pero que no parece ser la misma que sale en las otras fotos con el padre.

—¿Vive aquí solo, señor...? —pregunto, pero me quedo en el aire, pues me he dado cuenta de que no sé su nombre.

—Tulio —dice al fin—. Tulio Ramos. ¿Desea café, inspector?

—Se lo agradezco.

—Mi esposa falleció hace poco. Así que solo estoy yo aquí. Como un fantasma.

—Lo lamento.

Tulio me invita a sentarme en una mesa pequeña. Cuando lo hago, siento un gran cansancio, como si mi cuerpo pesara más de la cuenta.

—Entonces, inspector, ¿qué quería preguntar?

—Según entiendo, ustedes trataron de reportar a Melissa como desaparecida.

El hombre asiente.

—¿Sabe quién la vio por última vez? ¿Estaba de guardia?

—Según lo que yo mismo logré reconstruir, fue vista por última vez en la comisaría. Y ya había terminado su turno para entonces. Lo que siempre creí es que fue capturada en el camino de vuelta. Había logrado alquilar una habitación no muy lejos de acá. Siempre estábamos en contacto y venía a vernos casi todos los días. Por eso, apenas pasaron las primeras diez horas ya estábamos muy preocupados.

—¿Qué le dijeron en la comisaría cuando trató de hacer la denuncia?

—Que no era nada raro que las chicas de su edad se largaran del pueblo sin avisar. Que la mayoría de quienes se reportaban como perdidas aparecían al tiempo en algún otro pueblo, muchas veces engatusadas por un hombre que les promete una vida diferente. Pero se iban voluntariamente. Si Melissa se hubiera ido a otro lugar hubiera sido a la capital y me hubiera enterado.

—¿Habían tenido alguna clase de pelea en aquellos días? ¿Cómo se llevaba con su madre?

—Pero si le acabo de decir que siempre estábamos en contacto. Y casi siempre era porque ella nos llamaba para ver cómo estábamos. Le digo que me hubiera enterado, además, porque viví unos años con ella en Sancaré, cuando era pequeña. Allí fue que conocí a mi esposa.

Apenas escucho esto último, mi instinto me dice que quizá esta sea la visita más importante en toda esta odisea de encuentros y desencuentros.

47

¿AQUEL NIÑO SECUESTRADO ERA SIMÓN LANDER?

—ENTIENDO, por lo que dice, que su esposa no era la madre de Melissa.

—Si lo que quería saber era qué tal se llevaba Melissa con mi esposa, la respuesta es que muy bien. Se querían como madre e hija.

—¿Qué sucedió con su madre?

—La relación de Melissa con su verdadera madre fue compleja… Diablos, dudo que Ida tuviera una relación normal con alguien en toda su vida… Quizá tuvo mucho que ver en que Melissa hiciera carrera como policía. Ida también fue oficial de Ipales. Vivíamos juntos, pero no estábamos casados. Un buen día me dice que está embarazada. Ella no se tomó muy bien el embarazo, al comienzo, pero logré convencerla de tenerla… Quizá no debí hacerlo, quizá debí dejar que hiciera lo que le parecía mejor… Después de todo, era ella quien iba a llevar la criatura dentro de su propio cuerpo… Pero entonces ni siquiera podía imaginar que las cosas se darían como se dieron. De hecho, parecía ir de lo mejor, el embarazo nos unió mucho y ella comenzó a mostrar una parte de ella mucho más cálida y cariñosa que no le había conocido.

—¿Cuándo cambió todo? ¿Qué ocurrió?

—El nacimiento. Eso fue lo que pasó. Después del parto, muy pocos días después, cayó en un desánimo y una amargura que no podía entender. Sus ánimos cambiaban bruscamente… A pesar de todo, todavía seguí creyendo que las cosas saldrían bien. Ella mejoró un poco con los días. Pero había una amargura, un resentimiento que nunca desapareció del todo. Hasta que llegó un punto en que se empezó a ausentar más y más de casa. Con el tiempo me empezaron a llegar rumores de que se estaba metiendo en asuntos dudosos con gente poco confiable, a la vez que no hacíamos sino pelear. No quería a mi hija creciendo en un ambiente así y a Ida ya no parecía importarle Melissa.

—Así que se la llevó a Sancaré.

—Nos fuimos antes del mediodía. Ida ni siquiera se dio cuenta de que había hecho mis maletas y las de la niña. O no le importó.

—Entiendo… Pero dígame, Tulio, ¿por qué dice que Ida influyó en que su hija se volviera policía?

—Pues después de ya habernos instalado en Sancaré, Melissa olvidó muy rápido a su madre. Además conocí a quien sería mi esposa a muy poco de haber llegado a la capital. De manera que Melissa no era capaz de recordar la negligencia de su madre. Sin embargo, después de un tiempo llegó a mí la noticia de que Ida había muerto, «en la línea del deber», según los diarios de Ipales. Había ocurrido un secuestro. Un niño. El hijo de un funcionario de la alcaldía de apellido Lander. Según la historia, Ida había dado con los secuestradores, gracias a lo cual se logró rescatar al niño. Sin embargo, murió en el enfrentamiento con los criminales, justo cuando estaban llegando los refuerzos, por lo que se dieron a la fuga.

¿Un niño de un funcionario de apellido Lander? ¡Es Simón Lander!, es el hijo del intendente. Para este momento del relato, yo estaba en el sofá y él en un viejo sillón cercano. A pesar de la sorpresa por lo que me relataba el viejo, el cansancio me estaba ganando, por más que tratara de mantenerme alerta.

—Lo curioso —dice— es que aparentemente el niño permanecía cautivo en una cabaña vieja y apartada que era propiedad de familiares de Ida, a donde nosotros mismos llegamos a escaparnos unas cuantas veces cuando recién estábamos de enamorados.

¿Por qué el niño iba a estar en una cabaña propiedad de la familia de Ida Ramos? ¿De la misma policía que rescató a Simón Lander? Recuerdo entonces aquella acotación que hiciera el doctor Márquez sobre el posible lugar de la tortura y muerte de Linda Amatista, un lugar frío, con una temperatura mucho más baja del promedio en la capital.

—Pero —continúa— la vida pasa, los niños crecen... Cuando Melissa estaba empezando secundaria comenzó a hacer preguntas sobre su verdadera madre. Se imaginará que uno trata de suavizar las cosas a los hijos... ¿Tiene hijos, inspector?

—Una hija. Ya adulta.

—Entonces sabe de lo que hablo. Así, pues, no quise contarle muchos detalles sobre cómo terminó nuestra relación, cómo el carácter de Ida fue deteriorándose. Me enfoqué en su muerte heroica, deseando que esa imagen pudiera redimir un poco la imagen que podía formarse de su verdadera madre.

—Y funcionó.

—Así es. Poco a poco, la idea de hacerse policía fue

calando más hondo en ella, hasta volverse una elección de vida.

Tulio suspira después de rememorar todo aquello. El café le ha devuelto algo de sobriedad. Pero se ve cansado.

—Inspector, ya es tarde y estoy muy cansado —dice.

—Claro —le respondo, reincorporándome en el sofá, dispuesto a levantarme.

—Si quiere puede pasar la noche aquí. Es tarde y puede ser peligroso allá afuera. Claro que solo le puedo ofrecer ese mismo sofá para dormir.

—No —digo—. Mi compañera me necesita. No tengo tiempo que perder.

—Nada viaja más rápido que las malas noticias, inspector. Si hasta ahora no le han llegado, al menos un par de horas de descanso puede darse.

—Le agradezco, pero no puedo. Pero sí hay una cosa más que quisiera pedirle.

—Dígame.

—Antes mencionó una cabaña, el lugar donde el niño secuestrado fue hallado. ¿Podría anotarme la dirección?

—Claro. Déjeme buscar un papel y algo para escribir.

Tulio se levanta y comienza a caminar por la casa, buscando los utensilios. Su voz se comienza a perder en el fondo, el sentido de sus palabras se me empieza a escapar, algo sobre un lugar apartado, difícil de llegar... Mi cuerpo comienza a apagarse y mis ojos a cerrarse, un sueño profundo puede más que mi voluntad y todo se torna negro, los sonidos a alejarse.

Así, sin más, caigo rendido.

48

EL CAUTIVERIO DE ANETH

ANETH DESPERTÓ adolorida y con el pensamiento nublado. Otro intento fallido de escape le mereció algunos golpes por parte de sus captores, quienes tuvieron que volver a sofocarla con cloroformo para neutralizarla.

Poco a poco las cosas fueron cobrando sentido. Después de comprender los padecimientos de su situación, entendió que era de día otra vez. Su enfrentamiento había tenido lugar en la noche, de manera que había estado horas inconsciente. ¿Cuántas? No sabría decirlo. Durante el día anterior, el frío propio del lugar le sugirió que debía encontrarse en una zona más elevada que el centro de Ipales. Y muy alejada también, aunque le era imposible saber cuánto. El problema era que la luz del día en estas zonas montañosas, casi siempre nubladas en esta época del año, variaba muy poco.

Enseguida, Aneth se percató de que estaba sola en la cabaña, algo que no había ocurrido en todo el día de ayer. Intentó entonces sacudirse la confusión y el aturdimiento. Se dio cuenta de que sus captores habían ajustado un poco más el amarre en sus muñecas y tobillos. Solo podía escuchar los latidos de su propio corazón y sus jadeos y quejidos mientras buscaba la forma de ponerse de pie. Pensó que no tenía tiempo que perder. Aquella instrucción de mantenerla viva bien podía haber sido cancelada en los últimos minutos, o a punto de serlo. Si volvían los hombres que la habían secuestrado, pasarían de ser sus captores a ser sus asesinos.

Con cierto esfuerzo había logrado sentarse en el colchón. Comenzó a observar con detenimiento el lugar, analizando cada espacio, cada elemento, y convirtiéndolos en una herramienta para su liberación. No obstante, es muy poco lo que le ofrece el lugar. Apenas tenía una columna, completamente lisa y sin bordes filosos. Las paredes, lo mismo. Las ventanas estaban un poco por encima de lo normal. No se podían abrir y romperlas parecía una empresa muy exigente para los recursos con los que contaba. En cuanto a los objetos, casi todo era de plástico. El tazón con que la alimentaban era de plástico. El recipiente de agua era una botella de plástico de gaseosa cortada por la mitad. Las sillas igual. Quizá si lograba romperlas, algún borde le resultara útil. Luego estaba el colchón y una pequeña mesa de madera. Aunque los resortes del colchón podían llegar a serle útiles, extraerlos era lo mismo que con las ventanas. La mesa, sin embargo... Una mesa de madera un poco más baja de lo normal, cuyos listones parecían lo bastante delgados como para romperlos si lograba acercarse y aventarse encima, usando su propio peso. La madera no parecía muy vieja, así que los bordes quizá fueran perfectos para cortar los amarres. Igual no sería fácil. Su movilidad estaba bastante reducida y nada más llegar hasta allá podía quitarle buena parte de sus energías, ya mermadas por los golpes y la intoxicación.

Pero era la mejor opción.

«No les daré el gusto, hijos de puta», se dijo a sí misma.

Dobló las rodillas y dispuso la planta de los pies con firmeza en el suelo. Tomó impulso y se levantó.

Lo hizo con tal violencia que sintió desmayarse con un mareo fuerte y cayó al suelo.

«Mierda», dijo.

Se colocó mirando hacia arriba. Le pareció ver destellos de luces cayendo en su campo visual. Respiró profundo un par de veces y dio vueltas hasta llegar a la columna central, la cual usó de apoyo para ponerse de pie, esta vez poco a poco.

Logró hacerlo con éxito, ahora solo tenía que rodear un poco la columna hasta quedar de frente a la mesa. El frío hacía que las plantas de sus pies tuvieran mayor sensibilidad al roce. Deslizarlos por la madera, endurecida por la misma temperatura, le produjo un dolor inesperadamente intenso.

«Vamos, Aneth, te las has visto peores», se sorprendió diciéndose, lo cual enseguida puso en duda. Sintió temor.

Se halló frente a la mesa. Tenía que apartar las sillas y se acercó a ellas dando pequeños saltos, poniendo toda la atención en su equilibrio, intentando no apurarse, aunque todo su cuerpo le pidiera lo contrario. Al llegar a una, se colocaba luego de espaldas y la apartaba con sus manos. Terminó tumbando ambas, dejando el suficiente espacio libre para realizar la maniobra final.

Se colocó a menos de medio metro de la mesa, mirándola fijamente. Primero proyectando una simulación en su mente del resultado, y luego de lo que quería que ocurriera. Sabía que tendría que alcanzar la mayor elevación posible y girar por lo menos cuarenta y cinco grados en el aire para no caer sobre la mesa de frente. También tendría que llevar sus piernas siempre hacia arriba y aprovechar su propio peso todo lo que le fuera posible.

Así, pues, fue flexionando sus rodillas con cierta calma y cuando encontró el punto correcto se empujó hacia arriba con todas sus fuerzas, con algo de empuje de frente. No prestó atención a lo que veía o escuchaba. Trató de concentrarse en sus sensaciones internas, en manejar su cuerpo con la mayor precisión posible. Alcanzó a girar un poco sobre su eje y no bien se percató de esto ya estaba estrellándose contra la mesa. La sintió ceder un poco y también una inclinación que llevó su cuerpo al suelo. Cayó casi de frente, lastimándose el rostro y el hombro.

En el suelo, gruñó con furia.

Usó esa misma rabia para nublar su pensamiento y simplemente intentarlo otra vez, moverse de formas extrañas hasta llegar de nuevo frente a la mesa. Así lo hizo y advirtió que una de las patas se había doblado en el punto que se une a la mesa. También la mesa misma, en el medio, que fue donde ella cayó, había empezado a romperse. Necesitaba acaso un golpe más. O dos.

Sin pensarlo mucho, Aneth volvió a realizar la misma secuencia de movimientos, esta vez colocándose a cierto ángulo de la mesa para golpear con eficacia la zona que ya estaba cediendo.

Cayó sobre la grieta y se rompió otro tanto. La pata que ya estaba desajustada terminó de soltarse. El peso y el impulso de Aneth también hicieron que otra se aflojara, de manera que parte de la mesa cayó con ella, pero no del todo. Presa en un trace de furia, Aneth se colocó de rodillas encima de la mesa y comenzó a usarlas para terminar de quebrarla. Podía ver y sentir la tela de sus pantalones romperse y su propia piel golpeando la madera, hasta que esta misma comenzó a teñirse de sangre. Pero entonces ya lo había logrado, la tabla estaba rota en dos partes y los bordes en efecto parecían justo lo que necesitaba. Creyó escuchar algo y se detuvo. Se mantuvo quieta unos segundos, volteando a ver las ventanas, pero pensó que fue imaginación suya, sumando ruidos al frenesí del escape.

Al sonido de su respiración agitada se sumó el ruido del roce de la madera contra las cuerdas que la sujetaban. Durante los primeros momentos pareció que todo era en vano, pero pronto comenzó a sentir la presión sobre sus muñecas suavizarse hasta lograr liberarse por completo.

Soltó una carcajada de triunfo, como si estuviera en un delirio.

Después de liberar sus manos no le costó mucho hacer lo mismo con sus tobillos. Cuando salió del estado frenético, ya estaba liberada y de pie.

Se sobó las muñecas y, como una vieja manía, se acomodó la ropa.

Caminó hasta la puerta, pensando en qué tenía que hacer ahora. Cuando colocó la mano sobre la manija de la puerta, pensó que lo primero que quería hacer era comunicarse con Jazmín para saber que Valeria estaba bien.

Cuando la abrió, encontró la figura de un hombre de casi su misma estatura, de una contextura más o menos similar, pero más fuerte. Vestía ropa negra deportiva con una chaqueta cortaviento, un pasamontañas negro y gafas oscuras. Su mentón estaba parcialmente cubierto por una suerte de bufanda.

Aunque buena parte de su rostro estaba cubierto, sabía que no lo había visto nunca en su vida. En un instante, pasaron decenas de pensamientos por la cabeza de Aneth, pensamientos que cuestionaban todas las cosas que creía sobre los asesinatos de Linda y Mariana, a la vez que un escalofrío recorría su espinazo.

Castillo se abalanzó contra el sujeto.

49

GOYA SE ENCUENTRA CON LOS ESBIRROS DEL FURGÓN

Pareciera que ha sido apenas un segundo que me he distraído, que he cerrado los ojos solo por un instante para tomar aire. Y, de alguna forma, una sensación de urgencia inunda de repente mi ser y el recuerdo de Aneth viene a mí. Entonces, de súbito me incorporo en el sofá con los ojos bien abiertos.

Me he quedado dormido y ya es de día.

Veo el reloj. Siete de la mañana. Reviso mi teléfono. No hay mensajes ni llamadas, ninguna mala noticia, pero tampoco una buena.

Miro a mi alrededor. A un lado veo un papel con algo escrito en una caligrafía temblorosa pero legible. Son las indicaciones para llegar a la cabaña donde fue llevado el niño secuestrado hace años. El mismo niño que, mucho me temo, se ha convertido en un adulto, es Simón Lander. No es nada seguro, pero a estas alturas, es mi única esperanza el encontrar a Aneth en esa cabaña. Solo sigo mis instintos cuando pienso que Simón en su mente perversa recrea con las mujeres policías la misma tortura que sufrió él de niño, en la misma cabaña donde lo torturó Ida Ramos.

Me levanto de inmediato, tengo el cuerpo adolorido, y busco a Tulio. Lo puedo ver dormido en su habitación, puedo escucharlo roncar. Salgo por mi cuenta lo más rápido posible. En la calle hay niños jugando a la pelota que se detienen cuando me ven y me observan con desconfianza. Debo tener un aspecto terrible. Entonces me doy cuenta de que he dejado la muleta en la casa de Tulio, pero ya estoy a medio camino de llegar a mi auto y siento que ya voy tarde para todo, así que sigo adelante.

Llego al sitio donde había dejado mi auto, pero no lo encuentro ahí. Maldigo en voz alta. Un señor que estaba sentado leyendo el diario en un banco me observa y me señala algo en el suelo. Escrito con tiza, veo un aviso de remolque de la Policía local junto a una dirección.

Llamo a un taxi de inmediato.

El taxi entra a una parcela, a una media hora del barrio donde vive Tulio, cada vez más apartado de las zonas pobladas. Condujo tan rápido como se lo permitían las normas, a mi solicitud. Y a pesar de que no había tráfico, la media hora pareció más del doble.

La parcela es algo más grande que una cancha de baloncesto. Casi la mitad está ocupado por autos, aunque muchos parecen abandonados, otros son solo chatarra, e incluso distingo algunas patrullas que deben de estar averiadas. Por todos lados la parcela es rodeada por lomas altas, llenas de pinos y neblina. El cielo es gris. Así son los días en estos meses aquí, desde que sale el sol hasta cuando se oculta.

El taxi me deja cerca de un contenedor que hace las veces

de oficina, de donde sale un hombre anciano y bajito. Cuando estoy por hablarle escucho el crujir de las piedras del suelo contra las ruedas de un auto. Volteo y a la distancia, cerca de la entrada, veo un furgón muy parecido a aquel apostado en la entrada del edificio de Silvia.

Me quedo observándolo un rato, esperando algún movimiento y, también, dejando claro que estoy al tanto de su presencia.

Le explico mi situación al encargado del lote y que soy un agente de la Policía científica, mostrándole mi placa. El hombre es testarudo, no obstante, e insiste en que no puede entregarme el auto si no presento la factura de pago de la multa correspondiente. Trato de hacer al hombre entrar en razón sobre lo que sucede, pero muestra una indiferencia que despierta una irritación peligrosa en mí. Por un momento pierdo el control y le comienzo a gritar, e incluso saco mi arma, exigiéndole me entregue las llaves de mi auto. Esto es lo que tengo que hacer para tener la debida atención del viejo, quien levanta las manos al ver la pistola, pidiendo calma. Me acerca entonces las llaves.

Guardo mi arma y salgo del contenedor. El furgón sigue en el mismo lugar. El tobillo lastimado me empieza a doler como los mil demonios, pero la ira que siento —que en eso se ha convertido la irritación— es más fuerte y una voz dentro de mí me dice que mande todo al carajo, incluso a mí mismo... solo importa salvar a Aneth. Y por primera vez estoy de acuerdo con esa voz.

Camino lo más rápido que puedo al auto, que por suerte no está muy lejos. A cada paso suelto un ligero gruñido, que pretende de manera inútil anular el dolor.

Me subo al auto tratando de no pensar ni en mí ni en lo que soy, ni en las pocas personas a las que quizá pueda importarle.

Prendo el auto y salgo lentamente del lote, mis ojos fijos en el furgón. De pronto me parece que mi vista está algo empañada. El furgón no está tan cerca como pensaba y la extraña luz no me permite ver al interior. Con todo, estoy seguro de que es el mismo furgón que abordé días antes con Hilario Cota.

No veo ningún movimiento, así que tomo la carretera en la dirección que se adentra más en las montañas, entre árboles altos y de follaje espeso. Después de pasar una curva, advierto al furgón en mi retrovisor. Este comienza a aumentar la velocidad, colocándose en la otra vía, acercándose a mi auto poco a poco. Con incomodidad, trato de preparar mi arma mientras manejo y espero que estén cerca. Para mi sorpresa, cuando están a mi lado y estoy listo para lo que sea, veo la ventana del copiloto bajarse un poco y los ojos del cabeza rapada mirarme con cierta serenidad, como queriendo dar un mensaje. Enseguida la ventana se sube de nuevo y el furgón aumenta la velocidad, colocándose delante de mí y acelerando más.

Es una invitación. ¿Acaso Aníbal o Rafael quieren negociar? O es una trampa. Como sea, tengo la sensación visceral de que los esbirros tienen a Castillo. Así que acelero yo también.

Sé que todo este maldito asunto está por llegar a su fin.

Sea cual sea.

50

¿QUIÉN ES EL VERDADERO ASESINO?

LLEGO a una parcela que debe doblar en tamaño a la anterior. Solo del lado de la carretera los árboles y las lomas siguen su vía ascendente. Del otro lado solo se ven las tonalidades de gris que ofrecen las nubes. Detengo el auto un momento, a la entrada de la parcela. A la distancia, veo tractores y otra maquinaria de construcción. No veo más elementos, a excepción de una pequeña cabaña y el furgón negro estacionado enfrente. Me pregunto si esta es la dirección de la misma cabaña que Tulio anotó, no lo sé.

La ira que sentía da lugar al miedo. No me gusta nada esto. Ya no puedo volver atrás, pero si voy hasta esa cabaña, temo estar en total desventaja, lo cual sería como entregarme a la muerte. Eso, en sí, no me importa tanto, pues nadie me necesita, nadie depende de mí. Pero entonces no podría hacer nada más por mi compañera, ni por las otras oficiales que estarían en peligro si no atrapo al bastardo que las está matando.

Por desgracia, sé que no tengo más opción que ir. Así que

tengo mi arma preparada y conduzco lentamente hacia la cabaña.

Cuando estoy cerca, salen del furgón el par de personajes que esperaba, los mismos que vigilaban a Silvia. Se ponen uno al lado del otro, observándome. Sé que esperan por mí.

Detengo el auto y me bajo. Los esbirros me apuntan, uno con una metralleta y otro con un revólver. Todas mis heridas duelen como si me hubieran ocurrido ayer. Me muevo torpemente. Siento un pequeño temblor en la mano con la que sostengo la pistola.

—Suelte el arma, inspector —me dice el del corte tipo *mullet* después que me he acercado varios pasos.

Me detengo un momento, observándolos con indignación. Me parece escuchar un zumbido grave, lejano.

—¿No podemos simplemente tener una conversación, muchachos? —les digo para hacer tiempo, aunque no sé para qué.

—Vaya que vamos a hablar, inspector —dice el cabeza rapada—. Eso lo puede apostar.

Siento la brisa que comienza a golpear con fuerza, el murmullo acompasado del follaje de los árboles, veo el gran lienzo gris tras los hombres y la cabaña, como el telón aciago de toda esta ciudad y este país.

—Suéltela —repite el otro.

Escucho el metal del arma golpear el suelo de piedras. Veo a los tipos guardar las suyas y hacerme una seña para acercarme.

Se separan un poco para que pase entre ellos y caminamos todos hacia la puerta de la cabaña. Ya cerca, uno de ellos me toma por el brazo mientras el otro abre la puerta.

Lo único que me calma es saber que Castillo debe de estar allí.

Pero la calma dura poco. Cuando entro, observo una

pequeña mesa rota, una silla de plástico que también está partida, otra más tirada más allá. Veo trozos de cuerda. Veo también un pasamontañas negro y unas gafas oscuras rotas, tiradas en el suelo. A un lado veo un colchón, pero no hay nadie. Algo me dice que nada de esto estaba dentro de los planes de nadie. Así que volteo a mirar a los esbirros.

Ellos se miran entre sí extrañados, pero enseguida reaccionan y el del *mullet* me da una patada en mi pierna lastimada. Caigo de rodillas. Escucho un sonido metálico y la punta de un objeto macizo en mi coronilla.

—Llama al jefe —le dice a su compañero.

Muy pronto escucho al otro hablando por teléfono. Dice «no está». Dice «no lo sé, jefe». Dice «él se la debió haber llevado».

Mientras tanto, me parece escuchar alguna clase de ruido tenue desde afuera.

—Tenemos que deshacernos de él —informa a su compañero después de terminar la llamada.

Cierro los ojos.

—¿Y luego qué?

—Luego, al sitio. El jefe dice que se la llevó allá.

Intuyo que Simón Lander es el asesino, pero Aníbal Aristegui tiene que ver también. Hay una relación entre el secuestro de su sobrino, Ida Ramos y el asesinato de las mujeres policía; pero aún algo no encaja.

—Te espero afuera —dice.

En mis oídos irrumpe un pitido. Cada latido de mi corazón se siente como un martillazo. Pienso en la ironía de resolver un caso, justo instantes antes de recibir un disparo por uno de los implicados. Pero no es el autor. Había una banda criminal, sí. Pero no era la banda quien secuestraba y torturaba a las mujeres policía. Aunque sí asesinó a Yuli Obregoso y se deshizo del cuerpo de Mariana Pombo.

Pienso en Simón y me lleno de odio y furia. Siento mi cuerpo empapado de sudor, saliva cayendo de mi boca. Debo dar una última lucha, aunque muera en el intento.

Escucho en aquel momento una multitud de pasos golpear con fuerza el piso de madera, unos forcejeos. Abro los ojos como si alguien me estuviera aventando de una azotea, entre el estupor y la urgencia. Estoy dentro de la cabaña y veo a Orlando Paz estrellando a quien me apuntaba contra la columna central.

Caen los dos como sacos de arena para cemento y comienzan a pelear, aunque enseguida me doy cuenta de que Paz lo está logrando someter.

Volteo hacia la entrada con la respiración entrecortada y veo al cabeza rapada afuera, tirado en el piso, inconsciente.

Miro el suelo a mi alrededor y veo el arma del tipo tirada en el suelo. La tomo y me levanto. La adrenalina que inunda mi cuerpo me hace olvidar un poco el dolor por un momento.

—¡Esto es por Linda, maldito! —grita Paz mientras suelta golpes como bloques de concreto sobre su contrincante, uno tras otro, sin piedad.

Me acerco a él de inmediato y lo trato de detener.

—¡Espera! —grito—. ¡Para!

Él gruñe mientras me aparta para continuar el sometimiento.

—¡Ellos no asesinaron a Linda! —espeto.

Suelta un golpe más y se detiene. El otro escupe sangre y gime como un animal moribundo.

—Simón… —dice.

Orlando me observa confundido.

—¿El hijo del intendente de Villablanca? —pregunto confundido, más para mí mismo.

Miro al hombre en el suelo.

—¿A dónde se la llevó, Simón? —le pregunto.

El hombre me observa, pero se mantiene callado. Paz lo toma por la chaqueta y lo levanta. El tipo gime de dolor.

—¿A dónde? —vuelvo a preguntar, aunque creo saber la respuesta.

—Se la llevó a otra cabaña —dice— a cuarenta minutos de aquí.

Saco el papel con la dirección que me indicó Tulio y se la muestro. El tipo me observa.

—Allí está la cabaña, allí se la llevó a la poli el jefe Simón —responde y me confirma que Lander se llevó a Aneth a la misma cabaña donde fue torturado en su niñez.

Paz le suelta un golpe en el estómago y lo deja caer.

51

ANETH Y EL ASESINO DE LAS MUJERES POLICÍAS

—Lamento haber tenido que lastimarte —dijo Simón Lander.

Se limpiaba su propia sangre del rostro, provenía de su boca y de su nariz, donde Aneth había logrado golpearlo.

Ella acababa de recuperar la conciencia, perdida después de que el monstruo de Villablanca la golpeara.

El dolor de cabeza era intenso, quizá como nunca lo había sentido, pero el darse cuenta de que se hallaba desnuda en el suelo encadenada a unas argollas, completamente inmovilizada, le pareció más preocupante. Vio al hombre limpiándose a escasos dos metros de ella.

Aneth se sacudió y gritó. Y después se sacudió y gritó un poco más. Humillada. Furiosa. Las sacudidas luego se redujeron a golpes contra el suelo; y los gritos, a la palabra «no», repetida una y otra vez con todos los matices posibles, pasando del regaño a la resignación.

Durante aquella escena, Simón se limitó a cerrar los ojos y apenas girar la cabeza a un lado, en parte tratando de contenerse, de no perder la paciencia; pero también por vergüenza. Una vergüenza que en algún momento debió de ser intolerable, porque decidió acercarse a ella y tomar su rostro con sus manos, tratando de decirle algo mientras ella continuaba negando lo que le pasaba.

—¡Ojalá no tuviera que hacer esto! —gritó al fin, tomándola con fuerza del cabello y jalándola hacia atrás para verla bien—. Ojalá esto no fuera necesario. Pero no puedo. No puedo parar...

La soltó y se puso de pie otra vez, sintiendo un leve mareo. Guardó silencio como si nunca hubiera hablado en su vida.

—¿Alguna vez has estado largo tiempo en el bosque? —preguntó después de unos minutos—. Es una entidad viva. No solo contiene vida, sino que todo ese contenido forma algo más que las partes. Cuando estás lo suficientemente callado, casi puedes escucharlo pronunciar tu nombre...

Para este momento, la voz de Simón había cambiado. Algo en ese cambio llenó del más profundo temor el espíritu de Aneth, que ahora se arrepentía de su propia soberbia y de su propia terquedad al querer emprender toda esta empresa sola. Con miedo y lentitud, quiso verlo a la cara, pues no entendía de dónde salía esa voz. Así, vio el rostro de Simón con una expresión indefinible. Por poco parecía inexpresivo, pero sus ojos, que se perdían en el infinito mientras hablaba, le conferían un aspecto terrorífico.

—La primera vez que le quité la vida a algo fue a un zorro mal herido. Todavía vivíamos en Ipales. Quizá podía salvarse, pero su estado me pareció patético y repulsivo, así que decidí acabar con su sufrimiento. No sentí nada y eso me reconfortó de alguna forma. Supongo que todavía era un niño. Tenía once años, creo, y había bloqueado por completo el recuerdo de ser secuestrado.

La voz del hombre parece alejarse. Aneth voltea y lo ve de espaldas, preparando algo sobre una mesa pegada a la pared.

—Pero algo me intrigó. Quise saber qué tan lejos podía llegar. Tendría que encontrar un animal perfectamente saludable y hacerlo sufrir, para luego matarlo. Así lo hice. Logré atrapar una ardilla. Y para mi sorpresa, no me hizo sentir mal, sino todo lo contrario. Sin embargo, mi Nani me había descubierto. Y eso trajo una serie de consecuencias. Entre las cuales estuvo mudarnos a la capital. No fue sino hasta años después que, por la maldita curiosidad, volví a sentir ese impulso... Mi tío Aníbal me había invitado a pasar unos días en Ipales. Él tenía que inaugurar unas obras y yo necesitaba aire fresco. Eso fue hace casi dos años. Los azares de la vida me dieron dos regalos entonces.

Simón se acerca con un cuchillo. Aneth lo desafía con la mirada, sin mostrar señales de temor. Él se agacha y pasa la punta del cuchillo cerca de las clavículas de Aneth, hundiéndolo lo suficiente para ver sangre salir, mientras la ve fijamente a la cara. Ella trata de reprimir toda manifestación, apretando la mandíbula con fuerza. El control que muestra su víctima le causa mayor placer. Simón se yergue y vuelve a la mesa. En ese momento el rostro de Aneth se descompone por un momento, presa del miedo.

—El primero de esos regalos —dijo retomando el relato— fue conocer la identidad de la mujer que me había secuestrado y torturado cuando solo era un niño, además de la confesión de mi tío Aníbal de haber acabado con su vida y de haber sido quien me rescató. Esta revelación desencadenó una serie de recuerdos que me revolvieron por dentro, mis entrañas, mis emociones... Pero poco después me dieron un entendimiento de muchas cosas. El segundo regalo fue conocer a la única hija que tuvo aquella mujer. Cuando algo así pasa, inspectora, sientes que es el destino. Quizá fue el mismo bosque quien la puso ahí para mí. El caso es que comencé a padecer un sufrimiento que me es difícil describir, porque ocupaba todo mi ser. Era físico, emocional, espiritual… Era omnipresente. Y estaba acompañado por una pulsión, un deseo como nunca lo había sentido… Todo esto mientras conversaba con Melissa Ramos, la hija de Ida.

El hombre volteó a mirarla.

—Y entonces —dijo— supe que la iba a matar. Sí a Melissa Ramos, hija de la policía que supuestamente me rescató. Pero esa fue la versión de mi tío ante la gente. Fue Ida quien me secuestró y ultrajó.

Con sorpresa, Aneth creyó ver su rostro llenarse de tristeza y sus ojos de lágrimas.

—El recuerdo de ese momento en que tuve aquella certeza todavía me quita el sueño en las noches. Aunque de niño sufrí lo que sufrí, en verdad aquel momento ha sido, al mismo tiempo, la cosa más terrible y maravillosa que me ha ocurrido.

Simón se dio la vuelta otra vez.

Aneth trataba de reprimir su llanto. No quería que la viera sufrir.

—Desde entonces, ese vacío que siento solo empeora cada vez que lo hago; y cada vez que lo hago, se siente mejor.

—Te voy a ver —dijo Aneth de pronto— envejecer y pudrirte en prisión.

Simón se acerca a ella y le coloca unas esposas. Golpes tímidos empiezan a sonar en el techo de la cabaña. Luego se multiplican más y más, a la vez que desde afuera se escucha una cortina de sonido parecida al ruido blanco.

—Nunca quise lastimarte a ti. No sabía que ellas eran tus amigas… Quizá tú seas la última… Goya no tardará en saber quién soy realmente. Y si no es él, me temo que mi propio tío no va a poder seguir lidiando con mis problemas…

Algo interrumpió la cadena de oraciones que Simón Lander profería y que tenían a Aneth en constante estupor y miedo.

A ella le pareció escuchar el motor de un vehículo a la distancia.

52

LA CABAÑA DEL PEQUEÑO SIMÓN

TERMINO DE HABLAR con el comandante Sotomayor y observo los alrededores de la angosta carretera por la que vamos Paz y yo. No veo más que bosque. A cierta distancia, la carretera se pierde en una loma.

Le acabo de informar a Sotomayor el presente estado de cosas, tan delicado que resultaría milagroso otro final que no fuera el de un absoluto desastre. Voy a necesitar refuerzos, sé que estoy por encontrar al asesino de al menos cuatro mujeres policía… Sotomayor tendría que encargarse de todo en persona y actuar con la mayor celeridad.

—Entonces, ¿no crees que Simón trabaje con Aristegui? —me pregunta Paz mientras subimos por la loma.

—No como parte de sus operaciones ilegales —le respondo.

Según las indicaciones de Tulio, deberíamos de estar cerca. Comenzamos a descender, pero los árboles colman todos los espacios que veo. Según él, deberíamos de encontrar pronto un campo abierto entre los árboles.

—¿Pero cómo asesinar policías no es una operación ilegal? —insiste el grandulón.

—No estás entendiendo, Orlando. Quizá Simón Lander se ocupaba de asignaciones menores en la parte de relaciones públicas de Aristegui. Acaso ni siquiera eso. Lo importante es que Aníbal de alguna forma debió enterarse de que Simón estaba asesinando mujeres policía. Debe existir un nexo entre ellos que vaya más allá de lo familiar.

El descenso continúa y el camino se vuelve una curva pronunciada.

—Y desde ese momento —sigo—, Aníbal ha tratado de cubrir los rastros de su sobrino. No puede tener hijos, así que lo quiere como si fuera propio. Por otro lado, lo que menos quiere Aristegui es problemas con la Policía. Pero me temo que todo se le escapó de las manos. Simón no va a dejar de matar.

Atravesamos la curva y aguzo la mirada.

—Eso explicaría —concluyo— la puesta en escena del accidente de Ramos. También explicaría la desafortunada muerte de Yuli Obregoso, muy probablemente asesinada por el par de sabandijas que dejamos atados en aquel lote, encargados de hacer el trabajo sucio de Aristegui.

Poso una mano sobre el hombro de Paz, quien conduce, para señalarle algo. Entre los árboles, sobre otra loma, se vislumbra un campo abierto. Avanzamos un poco más y vemos un camino que sube hacia allá.

—¿Cómo vamos a hacer esto? —me pregunta, a medida que se descubre un campo abierto de un tamaño similar al anterior, pero el suelo es de césped, un césped crecido y muy verde.

En medio de ese verdor, una pequeña cabaña de un marrón muy oscuro. Empiezo a escuchar pequeños golpes en toda la carrocería del auto. Ha comenzado a llover. Esta debe ser la antigua cabaña donde Ida Ramos secuestró al pequeño Simón.

—Probablemente esté armado. No sé en qué estado se encuentre Castillo. Yo trataré de llamar su atención. Distraerlo. Hacer que salga de la cabaña. Tú trata de escabullirte en la cabaña para liberar a Castillo.

Paz detiene el vehículo y apaga el motor.

Las gotas golpean el auto como la percusión que anuncia el comienzo de un rito de expiación y muerte.

53

LA IRA DE GOYA

—¡Simón Lander! —grito con fuerza, pero sin desesperación, aunque siento que mi sangre comienza a hervir de la ira.

Estoy a varios metros de la cabaña, pero sé que mi llamado es perfectamente audible.

—¡Simón Lander! ¡Sé que estás allí! ¡Sé que Aneth también lo está!

Aunque no con toda claridad, podía percibir de forma vaga la figura de Paz acercándose a la cabaña del otro lado, casi a rastras por el suelo. No quería mirarlo directamente para no delatar su posición, solo en caso de que alguien estuviera mirándome desde la cabaña.

—¡Sal! —grito—. ¡Hablemos!

Callo un momento. La lluvia se intensifica un poco más y se le añaden corrientes de aire. Veo movimientos, como fantasmas de agua, a lo largo del campo y un trueno rompe a la distancia.

—¡Estaba en el medio de algo, inspector! —interviene por fin Simón—. ¿No puede esperar?

Su calma es pasmosa. Su ironía enciende mi ira todavía más.

—¡No puedo hacer eso! ¡Lo que le hagas a Aneth te lo haré sufrir el doble! ¡Eso lo juro!

Por sus palabras, sin embargo, pienso que Aneth debe estar, en efecto, viva. El ritual de Simón requiere mucho tiempo porque matar no es el propósito, sino infligir dolor y causar sufrimiento. Y cuanto más dure, mayor será el placer.

—¡Quiero ver sus manos arriba, inspector! —indica entonces—. ¡Quizá pueda acomodarlo en mi fiesta!

Su voz ha cambiado. Es la voz de alguien desquiciado. Con las palmas abiertas, subo las manos, mostrando mi arma visiblemente.

Veo entonces a Simón salir de la cabaña con lentitud. Me apunta con una pistola que sostiene con ambas manos. Viste ropa deportiva. De pronto me parece más fuerte de lo que creía. Voy dando pasos hacia él. El dolor en mi tobillo se ha vuelto casi intolerable.

—¡Tire el arma! —me ordena.

Detengo mi paso. Quiero que se aleje más de la cabaña, para dale más oportunidad a Paz. Así que me quedo en el mismo lugar y callo.

Logro que se aleje un poco.

—Tire el arma, inspector. Me basta con darle dos balazos en el pecho para ir de nuevo con la inspectora y terminar lo nuestro.

—No vas a tener tiempo —le advierto—. Los refuerzos están en camino. Ya saben quién eres. Ni tu padre ni tu tío pueden salvarte de esta.

Por primera vez veo en su rostro algo cercano a la preocupación. Se acerca todavía más a mí como a punto de romper en un arrebato de furia, pero se controla.

—Mi padre —dice riéndose—... No sabe nada de esto. No sabe lo que soy ni lo que he hecho.

Su mirada adopta una seriedad casi solemne.

—El arma, inspector —insiste—. Tendré que improvisar. Algo que nunca me ha resultado difícil.

Lanzo el arma, pero lo hago de tal forma que tenga que dar unos pasos más en mi dirección. He advertido en el fondo a Orlando, ya cerca de la entrada de la cabaña. En lo que Simón se agacha para recoger mi pistola Paz se escabulle dentro. Sin embargo, el ruido de algo cayendo se hace inequívoco, a la vez que escucho a Aneth soltar un grito de sobresalto.

Simón voltea hacia la cabaña y yo comienzo a correr hacia él. A cada paso que doy siento que me quitan un pedazo de mi pierna lastimada. Cuando ya casi logro alcanzarlo, mi tobillo no puede más con mi peso y caigo justo cuando él comienza a moverse en dirección a la cabaña. Con todo, logro tomarlo de la cintura, dando un alarido producto del suplicio y la rabia.

Caigo con el asesino, quien voltea con el arma, de la cual consigo despojarlo golpeando su mano. Lo hago con mi mano lastimada, sin embargo, y suelto otro alarido más que enseguida se corta cuando Simón me propina un golpe seco en el rostro.

Por un instante las luces se apagan. Escucho la lluvia caer con más fuerza, escucho truenos, un chasquido metálico y unos pasos sobre el césped mojado, alejándose. Entonces abro los ojos, mi visión es desenfocada, pero veo a Simón entrar a la cabaña.

Trato de al menos levantar el torso, pero sigo mareado. Escucho a Aneth gritar una, dos veces... Escucho un disparo... y otro... y otro... Logro ponerme de rodillas. Luego veo a Orlando salir de la cabaña, embistiendo a Simón y caer en el césped, no muy lejos de mí. Orlando se incorpora rápido, pero Simón tiene la distancia y el tiempo suficientes para apuntarle con el arma que había recuperado y dispararle. Paz se desploma. Me levanto. Simón se trata de poner de pie y me inunda un odio que parece infinito, que me hace querer ver sangre o llamas y destrucción…

Casi no siento mi cuerpo ni escucho la lluvia ni los truenos. Me lanzo con todo mi ser sobre Simón. Los dos vamos al suelo nuevamente, pero yo logro terminar encima de él y colocar mis rodillas sobre sus brazos. El arma ha salido volando. Con una mano sostengo su cara contra el piso, tratando de mantenerla fija, mientras que con la otra me preparo para golpearlo. Sin que medie un instante encajo mi otro puño en su rostro, sintiendo mis nudillos hundirse en su mejilla y parte de su ojo. Siento como si aquel golpe me liberara y entonces encajo el otro puño. Y así continúo, uno tras otro… Un golpe por mi matrimonio fallido, otro por mi compañero asesinado en el pasado, otro por haber lastimado a Aneth, otro por mis años perdidos… Y así.

El rostro de Simón parece volverse borroso, mientras, siento un líquido más viscoso que el agua salpicar el mío.

Me parece que escucho a una mujer gritar, aunque no sé si lo imagino. Luego siento un empuje con gran fuerza lanzarme a un lado. Caigo bocarriba, como si estuviera soñando. Veo a la pantalla gris del cielo. Siento la lluvia sobre mi cara. De pronto veo el rostro de Aneth aparecer en medio. Es ella la que me empujó y evitó que siguiera golpeando a Simón. Parece furiosa. Me grita palabras que no puedo escuchar bien ni entender, golpeando mi pecho con las palmas abiertas. Su rostro está golpeado y llora desconsoladamente. Me parece que está desnuda, aunque solo veo su cara.

El cabello de Aneth se empieza a mover con violencia, a la

vez que siento una brisa cuya fuerza aumenta con rapidez. En la altura veo un helicóptero atravesar el cielo.

Miro de nuevo a Aneth y ya no dice nada. Solo me mira. Luego hunde su cara en mi pecho.

Puedo sentir las sacudidas de su llanto.

54

YA NO SOY EL MISMO

La mayoría de aquel episodio en la cabaña se ha borrado de mi memoria. A veces, ráfagas de imágenes emergen en mi mente, pero enseguida se diluyen, dejándome con una extraña sensación para nada placentera. Recuerdo ver a Sotomayor cubrir a Castillo con una manta. Recuerdo ver paramédicos atendiendo a Paz.

Me dicen que Hilario Cota también ayudó en el operativo. Dicen que entre él y otro oficial ayudaron a levantarme del suelo y que cuando me subían al helicóptero me solté de ellos para ir tras Simón Lander de nuevo. Según me cuentan, gritaba «tienes que morir» sin cesar. Por suerte, mi tobillo estaba dislocado y no podía moverme con agilidad. De manera que no les costó detenerme. Dicen que estaba empapado de agua y sangre.

Pero nada de esto lo recuerdo.

Aunque grandes trozos de esa experiencia se hallan bloqueados en alguna parte de mi cabeza, no preciso hacer consciente su contenido. Puedo percibirlo en todo mi ser: ya no soy el mismo. El inspector dedicado y responsable había muerto hace mucho. El exfuncionario drogadicto y lleno de lástima propia también. Y aquel hombre que empezaba a envejecer y trataba de retomar su vida acababa de desaparecer. Lo hizo con cada golpe recibido por Simón Lander y que casi le quitan la vida.

No puedo reconocerme.

Los medios han empezado a llamar a Simón como el Monstruo de Villablanca. Como siempre, con un propósito sensacionalista, buscando atraer atención, vender más, subir los *ratings*.

El intendente declaró que desconocía por completo las andanzas de su hijo. Todos en el escuadrón le creen, según Sotomayor. Pero el nivel de escrutinio al que él y Aníbal están expuestos ahora nunca había sido tan intenso. Los medios comprometen más a Aníbal con las acciones de Simón que a su padre. Esto juega a su favor, aunque también se esté cuestionando mucho la filiación parental de ambos y se esté viendo con lupa cualquier señal de financiación o influencia ilegal en la carrera de Rafael por parte de su hermano.

Cuando los refuerzos llegaron al lote de tierra donde Paz y yo habíamos dejado inmovilizados a los esbirros, los oficiales encontraron a dos hombres muertos. Cada uno con un disparo en la cabeza. Hasta ahora, el único que puede dar testimonio de las actividades ilegales en Terra es Henry Parra. Fuera de ello, es difícil acusar a alguien —con evidencia dura — de estar implicado con Aristegui en alguna conspiración. Así que probablemente al final salga casi limpio de todo esto.

Por fortuna, Orlando Paz se recuperó rápida y exitosamente del disparo que recibió durante el enfrentamiento, el cual no alcanzó a dañar ningún órgano vital.

En cuanto a Simón Lander, recién salió de la unidad de cuidados intensivos, a donde ingresó a causa de mi ataque.

Sigue hospitalizado, pero se está recuperando según Sotomayor.

—Te quieren demandar —me dice, refiriéndose a los Lander; lo cual podrían hacer, pues violé completamente el protocolo de detención.

Sotomayor sale del salón de conferencias de la comisaría, en donde he pasado alrededor de cuatro horas rindiendo cuentas de lo ocurrido ante autoridades administrativas y de la misma fuerza policial. Claro, solo lo que recuerdo, con el apoyo de Sotomayor y Cota.

He explicado que Simón Lander es el asesino de Linda Amatista y al menos tres oficiales más de la Policía, todas mujeres, en el espacio de casi dos años. He explicado que, a mi juicio, los asesinatos no corresponden a la conspiración de un grupo criminal y no comprometen la integridad moral de las víctimas como oficiales de la ley. En otras palabras, Simón Lander actuó solo, movido por sus impulsos patológicos, quizá desencadenados por los eventos traumáticos que padeció en la infancia. El mismo Lander había manifestado expresamente a la inspectora Aneth Castillo haber matado a Melissa Ramos. Había toda una serie de indicios forenses, no obstante, que permitían concluir que también era el asesino de la cuarta y última víctima, Sara Rondón.

Aquí es donde aparecía la figura de Aníbal Aristegui. Otro de los hechos revelados por Lander a la inspectora, durante su cautiverio, sugerían que la versión conocida sobre el secuestro del mismo Lander era falsa. Este hecho habría sido perpetrado por quien se creía era su salvadora, la oficial Ida Ramos, madre de la primera víctima de Lander. Y quien realmente habría rescatado al niño Simón sería su propio tío, Aníbal Aristegui. Por último, Ramos no habría sido asesinada por los secuestradores, sino por el mismo Aristegui.

Quedaba por verse cuál era la naturaleza de la relación de

ambos, que motivara el secuestro por parte de una y el asesinato por parte del otro. En posteriores investigaciones en Ipales se descubrió que Aristegui era el amante de Ida Ramos o Nena como este la llamaba. Esta es la pieza que faltaba y que relaciona profundamente a Aníbal y Simón. Aristegui abandonó a Nena cuando ella era su mano derecha en la consecución de sus fines. Ella buscó venganza al secuestrar a su único y muy querido sobrino.

Años después, Aristegui se convertiría en el director de Terra, una empresa que participa en numerosas construcciones institucionales, beneficiando incluso a la Policía. Como se pudo corroborar hace poco, en la nómina de Terra, Simón aparece como asesor de relaciones públicas. Era este el vínculo que Simón Lander explotaba para elegir a sus víctimas. Aprovechaba las visitas a los sitios de construcción y los eventos públicos para entrar en contacto con ellas y luego acosarlas, sin su conocimiento, para conocer sus hábitos y encontrar el momento perfecto para ejecutar el rapto.

Dada la relación de parentesco entre Simón y Aníbal Aristegui, quien sí forma parte de una red criminal, de la cual es uno de los cabecillas, este último termina involucrándose en el encubrimiento de los asesinatos y la desaparición de cualquier amenaza, empleando los recursos de dicha red, que tiene alcance en elementos del sindicato de obreros y las fuerzas policiales. Aníbal debió de haber descubierto a Simón infraganti con su primera víctima, Melissa Ramos, pues trató de hacer parecer su muerte como un accidente. Seguro pensó que había sido un error o algo que no volvería a ocurrir. Hasta Simón mismo pudo haberlo creído. Pero el hecho es que esta clase de psicópatas jamás se detiene una vez que han cruzado ese umbral.

En la cabaña se encontraron suficientes elementos incriminatorios que vinculan a Simón con las cuatro víctimas. Se hallaron cuatro recipientes de vidrio con trozos de cabello, uñas y otra materia orgánica. Aunque todavía se esperan resultados, es dudoso que no correspondan a las víctimas. Eso debería de bastar como para acusar y procesar a Simón Lander, además de toda la investigación llevada a cabo por mí, y sobre todo por Castillo. Veo difícil que no sea condenado, aunque sé que usarán cada sucia artimaña para dilatar el proceso y aminorar la sentencia.

Porque Sancaré es lo que es. Y Latinoamérica también.

Pero esto último ya no es parte de mi declaración.

Ahora estoy solo y espero a Laura en una silla de ruedas.

Lo que más me duele es que hasta ahora no he podido conversar con Aneth. Y no sé cuándo pueda volver a hacerlo. Solo tengo el recuerdo borroso de su cara llena de espanto. Todavía está tratando de procesar todo lo ocurrido y no sé qué resultará de ello. Hasta podría dejar la Policía.

Escucho la manija de la puerta. Laura entra y me sonríe, acariciando mi cabello.

—¿Listo? —me pregunta.

—Listo.

Laura coge las manijas de mi silla de ruedas y salimos de la comisaría. Tratamos de abrirnos paso entre un enjambre de voces, preguntas, destellos y luces de cámaras.

Laura trata de ser cordial, pero la insistencia de los reporteros no le facilita el trabajo. Yo no hago contacto visual con nadie. Solo me concentro en el calor del sol cayendo sobre mí.

Como nunca falta un impertinente, sin embargo, uno de los reporteros me distrae e invade mi espacio, solicitando mi opinión sobre la demanda que la familia Lander quiere interponerme.

—El inspector Guillermo Goya —dice mi hija Laura— salvó la vida de una oficial de la Policía y, probablemente, la de otras más que estarían en peligro ahora de estar ese psicópata libre todavía, bajo la nariz de tantas personas poderosas de la capital.

Parece que va a decir algo más, pero la escucho soltar un ruido de fastidio y continúa avanzando hasta su auto. Me abre la puerta y me levanto de la silla de ruedas con cierto esfuerzo para sentarme de copiloto. Ella pliega la silla y la guarda en el maletero.

—Gracias por eso —le digo cuando entra al auto.

Ella toma mi brazo y sonríe.

Pienso en todas las cosas que he perdido.

Pero también en que quizá haya ganado de vuelta el afecto de mi hija.

EPÍLOGO

ESTABA postrada en la cama de una habitación de hospital. Llevaba horas mirando hacia un lado a través de la ventana. Quizá miraba las ramas de un árbol que se asomaban por la parte inferior. O quizá las nubes pasando y cambiando de forma.

El mundo de afuera era sencillo, discreto, bien diferenciado, y en eso hallaba una clase de sosiego, pues por dentro le era difícil saber qué era qué. La imaginación y el recuerdo se confundían. Los pensamientos se convertían en ruido con facilidad. Todo como capas y más capas muy densas y pesadas cubriendo su mente, pero también su voluntad y sus ánimos. Casi era como si estuviera muerta, aunque de pronto la comparación no era justa. Se sentía como distanciada de su propio cuerpo y sus sensaciones, tanto externas como internas, como si ella misma hubiera caído en un hoyo dentro de su mente.

Solo llegó a hablar con el comandante Sotomayor, en el camino de vuelta a Sancaré, y de información esencial para el caso de Amatista. Pero desde su hospitalización estaba sumida en el más profundo silencio y apenas se movía. Su estado delicado llevó a los doctores a limitar las visitas durante los primeros días.

Todavía tenía partes de su rostro hinchadas por los golpes que recibió, tanto de los esbirros de Aníbal como del propio Simón Lander, cuando se enfrentó con él en el sitio de su primer y más prolongado cautiverio. Lo mismo en varias zonas de su cuerpo. Cortes y moretones.

La visitadora social, que estaba sentada del otro lado, acababa de entrar y la última vez que la había visto fue, por supuesto, antes del secuestro. Le estaba explicando la situación de la custodia de su hija ante las nuevas circunstancias. Con frecuencia decía su nombre en forma de pregunta, para saber si la estaba escuchando. Podía verla respirar, su diafragma dilatarse y contraerse ligeramente.

—Toda esta situación —explicaba— complica todo el estado de la custodia de Valeria.

Hacía una pausa entre cada frase, contrariada por la información que tenía que suministrar y el estado de quien la estaba recibiendo.

—Todavía es difícil saber el impacto traumático de tu experiencia, el tiempo que te tomará recuperarte debidamente… Son muchas las cosas que hay que tomar en consideración y que se deben ir evaluando a medida que ocurren.

Volvió a hacer una pausa, esperando algún tipo de reacción, pero no hubo nada.

—Por ello, lo mejor es que, así sea de manera provisional, la niña se quede bajo el cuidado de Vicente.

La mujer suspiró y se quedó callada un momento, observándola. Luego posó su mano sobre el brazo de Aneth y se puso de pie.

—Todavía podrán verse, claro. Ella podrá visitarte o tú a ella. Eso ya lo podremos ir coordinando.

Caminó hasta la puerta.

—Tienes visita —dijo antes de salir.

Aneth volteó por fin, para ver al otro lado. Las cortinas estaban corridas y podía verse el pasillo a través de las ventanas internas. Del otro lado, vio a Valeria en brazos de Vicente.

Entonces fue como si todas esas capas que la cubrían se hubieran corrido tan solo un poco, lo suficiente como para dejar entrar algo de luz y poder asomarse a través de ellas, estirar los brazos para alcanzar a alguien con ellos, aunque no pudiera liberarse del todo.

Escuchó la voz de su hija gritar «mami» apenas abrieron la puerta. La vio correr hacia la cama y subirse sobre una silla para abrazarla. Sin embargo, le parecía que estaba muy lejos. Se esforzaba por alcanzarla. Tan solo tenía que intentar un poco más.

Vicente entró después que la niña. Aneth lo miró sin saber qué sentir, y podía distinguir la consternación y la tristeza en su rostro. Tantos meses de peleas y de pronto todo eso se mostraba vano, superficial, carente de sentido. Ya casi podía alcanzarlos a ambos.

Vicente se acercó a la cama y cubrió con sus brazos tanto a la niña como a su madre, colocando sus labios en la frente de Aneth.

Por fin los había alcanzado.

Vicente y Valeria sintieron sus brazos apretándolos con debilidad y comenzaron a escuchar un sollozo tímido al principio y que luego se hizo más claro.

Por primera vez desde lo ocurrido, Aneth Castillo sentía que había sobrevivido.

FIN

¿Deseas leer otra historia de Aneth y Goya?

Descarga **gratis** el relato *Mal agüero*:
https://raulgarbantes.com/relato-malaguero

NOTAS DEL AUTOR

Espero hayas disfrutado la lectura de esta novela.

Si te gustó mi obra, por favor déjame una opinión en Amazon. Las críticas amables son buenas para los autores y los lectores... y un estudio reciente (realizado por mi persona) también indica que escribir una opinión positiva es bueno para el alma ;)

¿Sabías que ahora también puedes disfrutar de mis historias en audiolibros? Te invito a gozar de esta experiencia con mi relato *Los desaparecidos*. Escúchalo **gratis** aquí: https://soundcloud.com/raulgarbantes/losdesaparecidos

Puedes encontrar todas mis novelas en mi página web: www.raulgarbantes.com

Finalmente, si deseas contactarte conmigo puedes escribirme directamente a raul@raulgarbantes.com.

Mis mejores deseos,
Raúl Garbantes

amazon.com/author/raulgarbantes
goodreads.com/raulgarbantes
instagram.com/raulgarbantes
facebook.com/autorraulgarbantes
twitter.com/rgarbantes

Made in United States
Orlando, FL
11 February 2022

14740746R00140